CLEFS

Collection dirigée par Luc Decaunes
Directeur adjoint : Claude Quétel

DU MÊME AUTEUR

Les Névroses expérimentales, Éditions du Seuil, 1966.

Ouvrages en codirection

Corps et langage en psychanalyse, Presses Universitaires de Lyon, 1982.

Les Voies du langage, Dunod, 1982.

La Communication non verbale, Delachaux et Niestlé, 1984.

Décrire la conversation, Presses Universitaires de Lyon, 1987.

Échanges conversationnels, Éditions du C.N.R.S., 1988.

JACQUES COSNIER

La psychologie

Nouvelle édition revue et corrigée

SEGHERS

ISBN 2-232-10163-0

AVANT-PROPOS

La première édition des *Clefs pour la Psychologie* parut aux éditions Seghers en 1971, la seconde rédaction, intitulée *Nouvelles Clefs pour la Psychologie*, aux Presses Universitaires de Lyon en 1981. La présente version revient aux éditions Seghers, sous le titre originel.

Les différences sont nombreuses entre les trois éditions, mais l'argument de fond reste le même et n'a fait que se renforcer durant ces dix-sept dernières années : la Psychologie ne peut être, en cette fin de siècle, que celle de l'*Homo communicans*, et par là elle participe au renouvellement profond qui traverse les sciences humaines : linguistiques, sociologiques, anthropologiques.

C'est dans cette perspective que se situent ces « Clefs », conçues comme une introduction partiale et partielle à ce qu'il est convenu d'appeler la « Psychologie ».

Lyon, janvier 1988
Jacques COSNIER

INTRODUCTION

Problèmes et difficultés de définition de la psychologie

La psychologie désigne à la fois une Science (dont l'objet varie selon les époques), un métier (aux aspects protéiformes), une fonction (assurée peu ou prou par tout un chacun).

La psychologie a de nombreuses facettes, parfois contradictoires, qui font son charme, son mystère, mais aussi sa complexité, ses incohérences, voire son immaturité.

Citons d'emblée quelques-unes de ses particularités. La première qui étonnera le lecteur non prévenu : *l'accord des spécialistes n'est encore réalisé, ni sur son objet, ni sur sa définition...*

Nous verrons que, longtemps confondue avec une métaphysique de l'âme, la psychologie s'est définie ensuite comme une physiologie du psychisme, définition bousculée au début du siècle par le mouvement comportementaliste, pour aboutir à l'interactionnisme contemporain. « Ame », « psychisme », « comportement », « communication » : on peut se demander quel dénominateur commun réunit les psychologues d'hier et ceux d'aujourd'hui.

« Science » ou plutôt « champ scientifique » mal délimité, son enseignement est partagé, dans les pays comme la France, entre les sciences biologiques, les sciences humaines (ou sociales), les lettres et la médecine.

Trois vecteurs principaux tiraillent en effet la psychologie avec persistance : la biologie d'un côté, la sociologie de l'autre, et la philosophie d'un peu partout... Et, à l'époque où la « pluridisciplinarité » est souvent prônée comme indispensable, il est piquant de voir que le pluridogmatisme qu'elle recouvre ne permet guère sa réalisation.

De fait, la psychologie s'alimente nécessairement à plusieurs sources, et son histoire est jalonnée de grands noms qui ne lui appartiennent pas en propre, ou, en tout cas, qui sont issus d'autres disciplines : Pavlov, physiologiste ; Freud, médecin neurologue ; Lorenz, zoologiste ; Binet et Piaget, docteurs ès sciences ; Wallon, docteur en médecine... pour n'en citer que quelques-uns.

Mais si, en tant que « champ scientifique », la psychologie n'a guère été élaborée par les psychologues (entendons : ceux qui pratiquent la psychologie), elle n'était pas plus enseignée par eux, en tant que savoir transmissible ; jusqu'à une date récente, ceux qui l'enseignaient n'étaient pas ceux qui la pratiquaient, et ce fait pourrait expliquer la dissociation curieuse entre la psychologie comme « science » et la psychologie comme « pratique ». On peut répondre à cela que l'apparition des psychologues n'a pu être que postérieure à celle de la psychologie, et il est vrai qu'actuellement, après beaucoup de difficultés (et il en reste...), des psychologues praticiens accèdent enfin à l'enseignement, particulièrement en psychologie clinique et en psychologie du travail.

Ces remarques préliminaires ont pour dessein de montrer que le vocable « psychologie » peut désigner : « la science psychologique », et peut désigner aussi une pratique professionnelle : le « métier de psychologue ».

Mais il conviendra également d'examiner de plus près la Psychologie comme métier. *Un* métier ou *des* métiers ? Le titre de psychologue peut convenir à des praticiens bien différents par leurs occupations et par leur langage : psycho-pédagogues, psycho-thérapeutes, psycho-techniciens, psycho-sociologues, conseillers d'orientation... mais aussi, pourquoi pas ? psychomotriciens, psycho-linguistes, psycho-rééducateurs, voire chercheurs des laboratoires du C.N.R.S. ou de l'I.N.S.E.R.M...

Pour ces raisons variées, doit-on parler de psychologie ou de psychologies ? C'est dans ce champ accidenté et mal balisé que ces clefs vont essayer d'introduire le lecteur.

Les quelques réflexions précédentes indiquent le plan choisi. Dans une première partie sera examinée *la psychologie comme science*, dans une seconde *la psychologie comme métier*. Une troisième, enfin, plus brève bien qu'encore plus problématique, étudiera *la psychologie comme fonction*.

PREMIÈRE PARTIE

La science psychologique

La psychologie, une science ?

On trouve, édité en 1967 aux Presses Universitaires de France, la *Critique des fondements de la psychologie* de Georges Politzer, pamphlet talentueux dont la lecture est irremplaçable. Il est probable que plus d'un lecteur pressé aura cru, en abordant cet ouvrage, que Politzer était un jeune professeur contestataire de la (nouvelle ?) Université post-soixante-huitarde. Or, Politzer écrivit cet essai en 1928 ! Il y déclare (en le soulignant), page 6 : « Les psychologues sont scientifiques comme les sauvages évangélisés sont chrétiens », et il ajoute au bas de la même page : « Et dans cinquante ans la psychologie authentiquement officielle d'aujourd'hui apparaîtra comme nous apparaissent maintenant l'alchimie et les fabulations verbales de la physique péripatéticienne. »

Qu'en est-il soixante ans après ? Politzer n'était-il pas trop optimiste ? Peut-on prétendre, en 1988, que cette science psychologique, ignorée par Auguste Comte dans sa classification des sciences en 1830, et fortement contestée en 1928 par Politzer, existe enfin ?

Ce n'est pas, il faut l'avouer, une évidence universellement admise, et le philosophe G. Canguilhem pouvait écrire en 1958[1] : « En disant de l'efficacité du psychologue qu'elle est discutable, on n'entend pas dire qu'elle est illusoire, on veut simplement remarquer que cette efficacité est sans doute mal fondée, *tant que preuve n'est pas faite qu'elle est bien due à l'application d'une science*, c'est-à-dire tant que le statut de la psychologie n'est pas fixé de telle façon qu'on la doive tenir pour plus et mieux qu'un empirisme composite, littérairement codifié aux fins d'enseignement. » Alors que, durant les événements de mai 1968, la psychologie fut bien souvent prise à partie et dénoncée comme un sous-produit bêtifiant et mystificateur de l'idéologie capitaliste...

Aborder la question de la psychologie comme science, c'est essayer de définir son objet et ses méthodes.

Or, d'emblée, une difficulté apparaît. Si le profane est tenté de répondre immédiatement : c'est la science du psychisme, quiconque est un peu initié sait qu'il n'est plus question, à l'heure actuelle, d'accepter cette définition. L'objet de la psychologie a en effet varié au cours de son histoire, bien que celle-ci soit encore brève (elle a un long passé mais une courte histoire, aurait dit Ebbinghaus), et la meilleure façon d'en esquisser la problématique nous paraît être de décrire cette

1. *Revue de Métaphysique et de Morale*, 1958, 1, 12-25.

évolution que nous proposons de schématiser en quatre périodes :

1. Période prépsychologique ou philosophique.
2. Science du psychisme.
3. Science du comportement.
4. Science des communications.

1.

PÉRIODE PRÉPSYCHOLOGIQUE OU PHILOSOPHIQUE

La préhistoire de la psychologie se confond avec l'histoire de la philosophie. Il en est d'elle comme des autres sciences; son existence est le résultat d'une autonomie progressivement conquise par rapport à la matrice philosophique originelle.

Mais la psychologie est la dernière-née, et la philosophie a fait figure à son égard bien souvent de mère abusive. Son nom de baptême est attribué à Wolf (*Psychologia empirica*, 1732, *Psychologia rationalis*, 1734), son objet étant depuis longtemps débattu par les philosophes, voire les théologiens.

Durant cette longue période philosophique, la psychologie prend forme comme un discours métaphysique qui s'ordonne principalement autour de quatre thèmes fondamentaux :

a. « L'âme et la matière », ou « la Psyché et le Soma »;

b. « La Raison et la Passion »;

c. « L'inné et l'acquis », ou « le rôle de l'hérédité et de l'environnement »;

d. « L'individu et la société ».

Les deux premiers (*a* et *b*) sont apparentés. Ils inspireront les différents systèmes philosophiques depuis les classiques grecs jusqu'aux philosophes du XVIIe, parmi lesquels Descartes est souvent évoqué comme exemplaire d'une conception « dualiste » encore sous-jacente à bien des conceptions contemporaines.

Alors que pour les scolastiques existait une unité substantielle du corps et de l'âme, pour Descartes il y a deux entités séparées : l'âme est distincte du corps, et plus facile à connaître que lui, parce qu'elle peut être connue directement, tandis que la matière n'est connue que par l'intermédiaire des sensations.

Pour le dualisme cartésien, on peut donc distinguer une vie organique et une vie psychique qui constituent deux courants parallèles exerçant une certaine action l'un sur l'autre, mais essentiellement distincts.

Enfin l'âme est réservée à l'espèce humaine, les animaux étant de simples corps : « animaux machines ».

Au cours du siècle suivant, les conceptions de Descartes allaient être discutées et contestées à plusieurs reprises.

Ainsi, Condillac (1715-1780) s'inspirant des empiristes anglais (Locke, 1632-1704) et s'opposant à l'innéisme de Descartes, essaie de montrer, dans l'*Essai sur l'origine des Connaissances humaines* et le *Traité des Sensations*, que l'esprit est au départ table rase, mais va s'organiser progressivement grâce à cet élément de base de la vie psychique qu'est la « sensation ».

Tandis qu'à la même époque Hume, puis James Mill et

John Stuart Mill expliquent tout par l'association des idées...

Mais pour tous ces auteurs et bien d'autres, cartésiens, sensualistes ou associationnistes, la psychologie qui s'« autonomise » est une étude des données de l'esprit, ou une science de la subjectivité, science de la conscience de soi ou du sens interne, et la méthode essentielle est constituée par l'introspection puisque, comme l'a énoncé Descartes, l'âme peut avoir une connaissance directe d'elle-même.

2.

LA PSYCHOLOGIE, SCIENCE DU PSYCHISME ?

Le terrain est alors mûr pour l'avènement de ce que certains ont appelé la « psychologie moderne » et que nous considérons comme première période de la psychologie proprement dite. Elle ne prend vraiment naissance, en tant que discipline autonome, qu'au cours du XIXe siècle.

Cette autonomie est marquée par l'entrée en scène des scientifiques : physiciens, physiologistes et médecins, et par la création de chaires et de laboratoires spécialisés.

La situation est, au début du XIXe siècle, la suivante : d'un côté, les philosophes qui prétendent qu'une science du psychisme est possible, mais dont les discours restent abstraits et formels, sans conséquence pratique ni possibilité de découvertes authentiques ; d'un autre côté, les scientifiques qui, grâce à la méthode expérimentale, sont en train d'édifier spectaculairement la physique et la biologie, et dont certaines découvertes, d'ailleurs, intéressent directement la psychologie : distinction des nerfs sensoriels et moteurs par Bell et Magendie (1811-1822), énonciation de la loi de l'énergie spécifique des nerfs (un nerf n'engendre jamais qu'une seule sorte de sensation), par J. Müller (1838), mesure de la vitesse de l'influx nerveux, par Helmholtz (1850), rôle de la troisième circonvolution frontale gauche dans les troubles de la parole, par Broca (1861), etc.

C'est donc naturellement que le désir de faire de la psychologie une science s'est traduit dans la pratique par l'application de la méthode expérimentale à l'étude du psychisme et de ses éléments.

G. Fechner (1801-1887) peut être considéré comme le représentant typique de cette époque. Il cherche explicitement à établir les relations quantitatives entre les données extérieures et les données de l'observation intérieure.

Il propose et utilise des méthodes originales pour mesurer des phénomènes psychologiques, et reprenant le travail de Weber (1795-1878) sur les sensations cutanées, il établit la fameuse loi connue depuis comme loi de Weber-Fechner : la sensation (S) est proportionnelle au logarithme de l'intensité du stimulus (I) :

$$S = K \log I$$

Il rédige en 1860 les *Elemente der Psychophysik*, tandis que quelques années après, W. Wundt écrit ce qui est considéré comme le premier grand traité de psychologie, *Grundzüge der physiologischen Psychologie* (1873-1874), et fonde en 1878 le premier laboratoire de psychologie à Leipzig.

La tendance de cette période est caractéristique : les traités sont de « psycho-physique » ou de « psychologie physiologique »; de même les laboratoires : le premier laboratoire français, créé en 1889 par Beaunis, s'intitule « laboratoire de psychologie physiologique ». Ainsi la psychologie serait-elle censée devenir une science par le simple fait que des scientifiques s'en occupent et qu'elle affiche une vocation expérimentale.

Mais l'objet reste fondamentalement le même que celui de la période précédente. Fechner avoue sa motivation initiale : trouver l'équation établissant la relation entre l'âme et la matière, et Wundt ne répugne pas à écrire quelques ouvrages de métaphysique.

Il s'agit pour tous ces auteurs d'édifier une physiologie du psychisme, ce dernier restant admis sans remise en cause comme objet de la psychologie.

Quant aux résultats de cette période, ils sont loin d'être nuls, mais concernent essentiellement la physiologie sensorielle. Que ce soient Fechner, Helmholtz, Wundt ou beaucoup d'autres de leurs contemporains, leurs noms se retrouvent encore dans les ouvrages de physiologie; par contre, il faut bien reconnaître que la physiologie du psychisme proprement dit n'avait toujours pas atteint, à la fin du siècle dernier, un niveau bien convaincant.

P. Fraisse[1] résume cette période ainsi :

« ... tout le XIXe siècle est resté fidèle à l'inspiration de Descartes d'une double forme de la connaissance, et a continué à distinguer une expérience immédiate, qui serait celle du

1. *Le Comportement*, P.U.F., 1968, p. 16.

dedans, et une expérience médiate, qui serait celle du dehors. Que ce soit Maine de Biran, les éclectiques ou Bergson, Wundt ou William James, tous ont conservé un dualisme à la base de notre connaissance et de notre activité même.

D'ailleurs les psychologues du XIXe siècle ne parlent ni de comportement, ni de conduite, ni même d'action. On distingue d'une part la conscience où on trouve perceptions, idées, sentiments et motifs, et d'autre part les mouvements. Même le vocabulaire de Descartes est conservé...

Aussi bien, même dans la psychologie expérimentale de Wundt, il y a un centre de la vie psychique que nous connaissons par une expérience immédiate. Il l'étudie soit par la méthode d'impression : ce qui agit sur le centre, soit par la méthode d'expression : ce qui émane de ce centre. Ce type d'analyse conduit toujours à l'existence d'une dualité entre deux réalités. »

Aussi, G. Politzer écrivait-il : « Toutes les psychologies "scientifiques" qui se sont succédé depuis Wundt ne sont que les déguisements de la psychologie classique... L'avènement de la psychologie "expérimentale", loin de représenter un nouveau triomphe de l'esprit scientifique, n'en était qu'une humiliation », et « cinquante ans de psychologie scientifique n'ont donc pu aboutir qu'à l'affirmation que la psychologie scientifique va seulement commencer ».

Enfin, ironisant, il constatait : « Le psychologue se comporte aussi bêtement devant un homme que le dernier des ignorants, et chose curieuse, sa science ne lui sert pas quand il se trouve avec l'objet de sa science, mais exclusivement quand il se trouve avec des "confrères". Il est donc exactement dans le même cas que le physicien scolastique : sa science n'est qu'une science de discussion, une éristique. »

3.

LA PSYCHOLOGIE, SCIENCE DU COMPORTEMENT ?

Après la mort de l'âme, la mort de la conscience

Le début du XXe siècle va rompre brutalement avec le dualisme implicite de la psychologie définie comme science du psychisme ou des faits de conscience. Rupture qui a pu être qualifiée de révolutionnaire, et nous ajouterons bifocale, car, comme le fait remarquer Zazzo, par une curieuse coïncidence, la conscience fut mise à mal la même année (1913), à la fois dans le champ psychologique, par le « manifeste behavioriste » de J.B. Watson, et dans le champ philosophique, par le manifeste phénoménologique de Husserl. Seule la révolution behavioriste nous concerne ici. Déclenchée par l'article de Watson, *Psychology as the behaviorist views it*, elle constate l'impossibilité d'établir une psychologie qui serait la science des faits de conscience, et proclame que seul le comportement observable peut constituer un objet d'étude scientifique. Il n'est pas étonnant que ce constat d'échec de l'introspection ait été énoncé par Watson, alors professeur de psychologie animale. Comment étudier les « faits de conscience » d'un rat ? L'interprétation des activités d'un animal en termes de psychisme fait appel à la subjectivité de l'observateur humain : le recours à des explications de type mentaliste est, en psychologie animale, parfaitement illégitime, voire stérilisant pour la recherche, car il procure des explications faciles mais illusoires. C'est la condamnation de l'« anthropomorphisme », piège omniprésent, toujours tendu à l'expérimentateur. Mais ces constatations, aisément admissibles en ce qui concerne la psychologie animale, allaient prendre une valeur générale en s'étendant à l'espèce humaine : l'étude du jeune enfant pose des problèmes méthodologiques fort proches de celle des animaux ; or, entre l'enfant et l'adulte, la limite est bien difficile à préciser...

C'est la psychologie entière qui doit ainsi se construire à partir des seuls éléments observables et objectifs : les stimuli et les réponses.

Aussi appelle-t-on cette psychologie « S.-R. psychologie » (psychologie stimulus-réponse), que l'on peut symboliser de deux manières :

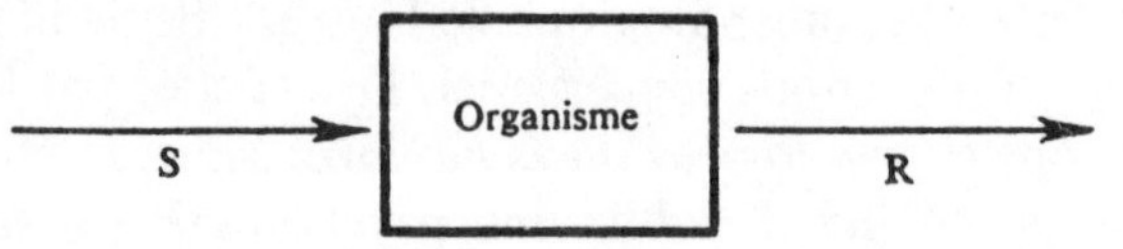

ou encore : R = f (S), la réponse est fonction du stimulus. Cette psychologie ne nie pas qu'entre stimulus et réponse il y a un organisme, mais celui-ci doit être considéré comme une « boîte noire », dont l'anatomophysiologie relève des biologistes et non des psychologues, et où il faudra se garder de placer des principes explicatifs de type mentaliste tels que « conscience, pensées, sentiments, etc. » Le seul matériel accessible au psychologue est constitué par les « réponses » de l'organisme en situation, et le but du psychologue est de décrire les lois qui relient ces dernières aux stimuli, en construisant éventuellement des modèles, de préférence mathématiques.

Le contexte de la révolution behavioriste

Il serait erroné et injuste de laisser croire que Watson fut l'initiateur et l'inventeur singulier du « new look » psychologique. Il en fut en quelque sorte le héraut par sa personnalité tonique et provocante (par son « abattage exceptionnel », dit Zazzo) ; mais l'évolution à la fois de la science, de la philosophie et de la société occidentale créait un terrain propice où cette orientation était inéluctable.

Nous avons déjà mentionné l'éclosion à cette époque de la phénoménologie ; mais d'autres philosophes comme William James (1912) écrivaient : « ... Le moment me semble venu de nier la conscience franchement et publiquement. » Le climat social du début du siècle, caractérisé par le dynamisme du capitalisme florissant aux U.S.A., du socialisme naissant en U.R.S.S., était marqué déjà par les graves nuages de contradictions internes des structures léguées par le XIXe siècle, mais aussi, et particulièrement pour les scientifiques et les intellectuels, par un grand optimisme, relativement aux possibilités ouvertes à l'humanité par ses conquêtes technologiques. Certes, les motifs des uns et des autres étaient différents, voire opposés : en Amérique, considérer l'homme comme un objet sans conscience dont seul comptait le comportement contrôlable par des stimuli convenablement agencés allait pleinement dans le sens des désirs de rentabilité capitaliste. Mais par ailleurs, aux yeux des savants progressistes, il importait d'affirmer les conquêtes du matérialisme dialectique et de pourchasser la conscience et ses relents idéalistes. L'objectivisme radical des années vingt nie la conscience, comme l'ultime déguisement de l'âme et de la théologie. Rien ne doit échapper à l'investigation scientifique, et il est certain que Setchenov-Pavlov-Piéron-Freud, après Cl. Bernard et Darwin, sont tous d'inspiration matérialiste. Nous venons de mentionner Pavlov et Piéron : tous deux, contemporains de Watson, ont en effet simultanément soutenu des points de vue fort proches.

Piéron en France, dans une leçon d'ouverture à l'École des Hautes Études, déclare en 1907 : « ... il est nécessaire d'ignorer la conscience dans les recherches sur le psychisme des organismes. (Les recherches) porteront sur l'*activité* des êtres et leurs rapports sensori-moteurs avec le milieu, sur ce que les Américains appellent "the behavior", les Allemands "das Verhalten", les Italiens "il comportamento", et sur ce que nous sommes en droit d'appeler le *comportement* des organismes ».

Quant au physiologiste russe Pavlov (1849-1936), son antipsychologisme bien connu était associé à sa découverte des « réflexes conditionnés ». Travaillant sur la physiologie des glandes digestives, il avait constaté que ses chiens en expérience se mettaient à saliver à des moments non prévus dans le protocole expérimental, et, tandis qu'un de ses assistants proposait d'expliquer ces « réflexes psychiques » en invoquant des phénomènes mentalistes, Pavlov décidait de bannir toute référence au psychisme et à la conscience, et orientait son laboratoire vers l'étude scientifique des réflexes conditionnés, dont il allait établir les lois et les méthodes d'étude. Le réflexe conditionné devenait un élément de base constitutif et explicatif du comportement, et Watson adoptait sans tarder les découvertes pavloviennes qui allaient pleinement dans le sens de ses propres théories comportementalistes.

Mais cette deuxième période de la psychologie est aussi marquée par deux autres tendances majeures qui allaient, indirectement et à leur insu, épauler la position comportementaliste, à savoir : la psychométrie et la psychanalyse.

La psychométrie

On désigne ainsi la méthode dite des tests psychologiques. On préfère aujourd'hui, selon les points de vue des utilisateurs, parler de psychotechnique, de psychologie différentielle ou d'examen psychologique armé. Mais le terme de psychométrie, bien qu'impropre à désigner l'ensemble de la méthode des tests, a le mérite d'en souligner l'apport fondamental : l'introduction de la mesure dans l'examen psychologique.

Son éclosion s'est produite au début du siècle, contemporaine du mouvement behavioriste et en partie motivée par les mêmes nécessités, mais impulsée par des chercheurs différents. C'est en effet non plus dans les laboratoires de recherche qu'on la voit s'édifier, mais sous la pression de demandes industrielles, militaires, cliniques et pédagogiques. Industrielles et militaires : comment sélectionner et orienter rapidement et efficacement un grand nombre d'individus ? Pédagogiques : comment orienter les enfants, déceler leurs aptitudes ou inaptitudes, déterminer l'indication d'une éventuelle pédagogie spéciale ? Cliniques : comment évaluer les différents facteurs d'une personnalité, mesurer une détérioration, préciser objectivement un diagnostic différentiel ? C'est la méthode des tests (terme proposé par l'Américain Cattell en 1890) qui permet de répondre à ces questions. Le test mental est une « épreuve définie, impliquant une tâche à remplir, identique pour tous les sujets examinés, avec une technique précise pour l'appréciation du succès ou de l'échec, ou pour la notation numérique de la réussite » (1933, Association internationale de psychotechnique) ; ou encore « une situation expérimentale standardisée servant de stimulus à un comportement. Ce comportement est évalué par une comparaison statistique avec celui d'autres individus placés dans la même situation, permettant ainsi de classer le sujet examiné, soit quantitativement, soit typologiquement » (R. Pichot, 1949).

Deux notions sont ainsi fondamentales : épreuve standardisée, possibilité d'évaluation des résultats par comparaison avec un échantillonnage de référence (on dit que l'épreuve est « étalonnée »). Les progrès de la statistique ont facilité cette comparaison et ont abouti, grâce à l'évolution des mathématiques et, en particulier, de l'analyse factorielle, à des découvertes théoriques dépassant les ambitions à visée essentiellement pratique du départ.

C'est généralement à Alfred Binet (1857-1911) que l'on attribue le mérite d'avoir permis à la méthode d'acquérir auprès du public ses titres de noblesse, en réalisant le premier test pratiquement utilisable. En 1904, une commission ministérielle est « chargée d'étudier les mesures à prendre pour assurer les bénéfices de l'instruction aux enfants anormaux », et souhaite qu'aucun enfant « suspect d'arriération ne soit éliminé des écoles ordinaires et admis dans une école spéciale sans avoir subi un examen pédagogique et médical attestant que son état intellectuel le rend inapte à profiter de l'enseignement donné dans les écoles ordinaires ». Alfred Binet, alors directeur du Laboratoire de psychologie de la Sorbonne, propose avec Simon une « échelle métrique de l'intelligence », permettant l'examen intellectuel objectif et facile des enfants.

Ce test consiste à soumettre les enfants, selon un protocole défini, à une série de questions, courtes, variées, proches des situations courantes, et groupées par années d'âge.

Par exemple : — 4e année : comparer 2 poids ; répéter 3 chiffres ; répéter des phrases de 10 syllabes ; jeu de patience ; définir par l'usage ; copier un carré. — 5e année : comparaison esthétique ; compter 4 centimes ; nommer 4 couleurs ; exécuter 3 commissions ; distinguer matin et soir... L'« échelle » va ainsi de 3 ans à 12 ans. Au-delà, le niveau adulte est considéré comme atteint.

Cette épreuve définit « l'âge mental » de l'enfant, dont la comparaison avec l'âge chronologique permet de quantifier le retard intellectuel éventuel, puisque, par définition, l'âge mental devrait être égal à l'âge réel. Dans la pratique, la comparaison de l'âge mental ainsi déterminé avec l'âge réel se fait par le rapport :

$$\frac{\text{âge mental (en mois)}}{\text{âge chronologique (en mois)}} \times 100$$

Ce rapport est appelé *quotient intellectuel* ou Q.I.

On connaît la fortune de cette notion de Q.I., toujours très utilisée dans la pratique des examens psychologiques de l'enfant, soit pour évaluer le degré de « retard intellectuel », soit a contrario aujourd'hui, pour déceler les « surdoués », utilisée aussi pour mesurer le degré de « détérioration » des personnes âgées et, sous des formes dérivées, pour la sélection et l'évaluation du personnel.

Cependant, ces notions ont été soumises à plusieurs critiques dont trois méritent d'être rappelées.

a) La première, d'ordre « technique », concerne le niveau mental de l'adulte : l'efficience intellectuelle ne progressant plus après 12-13 ans, l'âge mental d'un débile restant constant, et son âge chronologique croissant, son quotient intellectuel diminuerait ainsi avec les années par un artifice de calcul. Aussi l'Américain Wechsler a-t-il mis au point, pour les adolescents et les adultes, des épreuves spéciales avec un système de notation ne passant plus par l'âge mental, mais permettant de surcroît, par une variété plus grande d'épreuves, d'apprécier qualitativement l'efficience et ses éventuels déficits liés aux maladies ou à la sénescence (détérioration mentale).

b) La seconde est d'ordre « pédagogique », liée à l'effet « Rosenthal ».

Ce chercheur américain a montré que l'opinion préalable, favorable ou défavorable, qu'un expérimentateur pouvait avoir sur les sujets soumis à des expériences d'apprentissage, pouvait influencer les résultats, et ceci à l'insu de l'expérimentateur lui-même. Ce phénomène, constaté initialement lors d'expérience d'apprentissage avec des rats, s'est révélé aussi exact avec des écoliers. L'étiquetage en terme de Q.I. peut donc être un facteur de stagnation, voire d'aggravation du déficit intellectuel, en tout cas ne facilite pas son amélioration.

c) D'autant plus, et c'est la troisième critique, d'ordre « éthique » que « l'intelligence » ainsi évaluée est de nature mal définie ; elle résulte de l'interaction de multiples paramètres génétiques, affectifs, relationnels, socio-culturels... Or, le Q.I. est trop souvent perçu comme un caractère essentiellement génétique ou « constitutionnel », sur lequel, donc, les moyens d'action seraient quasiment nuls, désarmant ainsi les tentatives pédagogiques ou thérapeutiques et pouvant même être utilisé pour justifier certaines inégalités sociales, risquant ainsi de confondre les effets et les causes.

Il n'est pas possible de développer plus longuement la question des tests mentaux qui, judicieusement utilisés, restent un instrument précieux de l'examen pédagogique. Remarquons qu'ils répondent implicitement au modèle de la « stimulus-réponse psychologie ». La définition de R. Pichot explicite d'ailleurs cette parenté en utilisant le terme de « Stimulus et Comportement ».

Le schéma de la situation de test ainsi définie peut s'écrire :

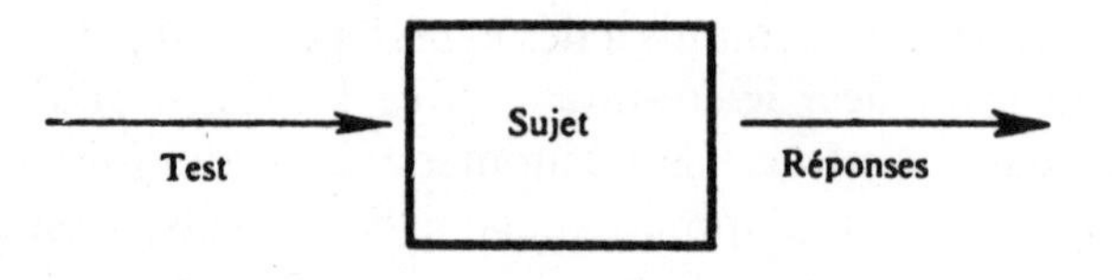

et l'analogie est totale avec le modèle behavioriste, même si, comme dans le cas des tests dits de personnalité, en particulier les tests projectifs, le compte rendu du praticien se fait avec une terminologie très éloignée du vocabulaire behavioriste. La situation et le modèle implicite restent néanmoins les mêmes : soumettre un sujet à un stimulus standard, afin de recueillir des réponses qui seront évaluées par rapport à celles d'une population de référence. L'observateur reste « neutre » et ne figure pas dans le schéma.

La psychanalyse

La psychanalyse, dont l'élaboration a été, elle aussi, contemporaine de celle du behaviorisme, va contribuer a créer le climat favorable à la seconde période de la psychologie. Cette affirmation peut paraître à première vue paradoxale, puisque la psychanalyse a la réputation de s'occuper justement de cette subjectivité honnie par les behavioristes ; et il est vrai que les rapports mutuels des comportementalistes et des psychanalystes ont souvent été entachés de dédain et d'incompréhension. Cela mérite cependant quelques remarques. La psychanalyse a été créée par S. Freud (1856-1939), médecin neurologue à vocation scientifique et méfiant vis-à-vis des penchants philosophiques marqués par la psychologie de son époque. Il est significatif qu'un de ses premiers travaux théoriques (1895), jamais achevé, ait finalement paru avec le titre d'*Esquisse d'une psychologie scientifique*. Le rappel de quelques éléments biographiques précisera cet aspect.

Les études médicales de Freud (1873-1881) sont marquées par un vif intérêt pour la biologie, surtout anatomo-physiologique, de son époque. Ainsi, encore jeune étudiant, il obtient une bourse et fait son premier travail scientifique, au laboratoire d'anatomie comparée, sur la structure histologique des testicules des anguilles. Puis il entre au laboratoire de physiologie d'Ernest Brücke, rattaché à un mouvement scientifique dynamique (la « Berliner Physikalische Gesellschaft »), dont les membres étaient Du Bois-Reymond, Brücke, Helmholtz, Ludwig, et le programme : détruire le vitalisme et imposer cette vérité, que seules les forces physiques et chimiques, à l'exclusion de toute autre, agissent dans l'organisme... C'est dans cette ambiance qu'il entreprit des recherches sur l'anatomie microscopique du système nerveux et publia des articles sur le système nerveux de la Lamproie (1878), puis de l'Écrevisse (1882).

Diplômé en médecine en 1881, il continua, au lieu de s'installer comme praticien, à travailler en laboratoire, caressant l'espoir de devenir professeur de physiologie ; mais sa carrière étant incertaine, Freud, sans fortune personnelle, dut, sur les conseils de Brücke, se livrer à des activités cliniques et, avec un serrement de cœur, nous dit son biographe Jones, abandonner les travaux de laboratoire pour la pratique de la médecine. Ce sont cependant ses travaux de neuro-histologie qui lui permirent d'être, en 1885, Privatdozent en neuropathologie. Il se spécialise alors en neuropsychiatrie, et publie en 1891 d'importants travaux sur l'aphasie et sur les paralysies infantiles, après avoir été l'élève de Meynert et avoir effectué des stages chez Charcot et Bernheim. Installé en 1886, c'est à cette époque que prit corps ce qui allait devenir la psychanalyse annoncée par les premières publications connues du grand public : *Études sur l'hystérie* (1895) et *La Science des rêves* (1899). Cette période était en outre marquée par une étroite et amicale collaboration avec Breuer, ancien élève du physiologiste Hering, devenu un praticien éminent de la Vienne des années 1890, et qui contribua très fortement à la mise au point de la « méthode cathartique » et de la « cure de parole », préface de la future psychanalyse (terme utilisé pour la première fois en 1896).

Si nous pensons utile de rappeler tous ces faits que nous avons cependant résumés à l'extrême[1], c'est pour faire ressortir que Freud avait déjà quarante ans quand commença officiellement son œuvre psychanalytique qui, par conséquent, n'est pas une œuvre de jeunesse, mais le résultat de la longue maturation d'un homme de science (d'abord versé dans ce que nous appelons aujourd'hui les Neurosciences) mis aux prises assez tardivement avec des problèmes de clinique psychiatrique. La formation neurobiologique de Freud ne saurait être sous-estimée, même si ses travaux dans ce domaine ont été ensuite éclipsés par son œuvre psychanalytique; et bien qu'on l'oublie trop souvent, cette orientation première a fortement influencé le créateur de la « métapsychologie ».

Il conviendra de revenir plus loin sur les découvertes freudiennes et, en particulier, sur leur contribution à l'édification de la troisième période de la psychologie; mais, au début du siècle, trois idées maîtresses découlent de ses travaux qui vont directement ou indirectement conforter le courant scientifique expérimentalo-comportementaliste :

1. — Toute activité et toute parole humaines sont motivées, obéissent à un déterminisme rigoureux dont on doit chercher à rendre compte.

---

1. Le lecteur curieux trouvera un grand intérêt à lire *La Vie et l'Œuvre de Sigmund Freud*, par Jones, P.U.F.

2. — Toute activité et toute parole humaines possèdent une fonction dans l'homéostasie[1] de l'organisme. Le principe physiologique de l'homéostasie est applicable dans le domaine de la vie mentale.

3. — Mais l'introspection individuelle ne peut rendre compte de ces réalités, car la « conscience » individuelle ne perçoit qu'une représentation limitée des pulsions internes ; une grande partie de celles-ci, refoulée, ne peut être perçue qu'à travers des manifestations indirectes dont le sens échappe à celui qui, pourtant, les « agit ». Comme le découvre Freud, les productions en apparence les plus irrationnelles : rêves, actes manqués, lapsus, oublis, ont leurs raisons cachées. Or, il est évident que cette découverte de l'*Inconscient*, qui est à la base de la psychanalyse, est une raison supplémentaire de considérer comme caduque la psychologie antérieure des « faits de conscience » et de la méthode introspective. C'est là une explication et une dénonciation de la faillite de la psychologie classique de la fin du XIXe siècle (que Freud ignorait d'ailleurs en grande partie).

Le devenir du behaviorisme

« La négation radicale de la psychologie classique, introspectionniste ou expérimentale, qui se trouve dans le behavio-

1. Système de régulation des organismes vivants, qui leur permet de maintenir constantes les conditions de vie et de les rétablir quand elles sont modifiées.

risme de Watson, est une découverte importante. » « Le behaviorisme conséquent, celui de Watson, reconnaît la faillite de la psychologie objective classique, et apporte, avec l'idée de *behavior*, quelle que soit finalement son interprétation, une définition concrète du fait psychologique », écrivait Politzer. Mais il apparaît aisément que plusieurs des positions doctrinales de Watson sont dogmatiques, partiales et simplistes, et nullement nécessaires pour justifier son apport fondamental : *tout ce que nous pouvons connaître de la « psychologie » d'un organisme est basé sur ce que nous savons de son comportement*. On peut donc s'attendre que les successeurs de Watson aient élargi, rectifié et enrichi ses conceptions, ce qui a abouti au développement de plusieurs écoles behavioristes ; mais l'on peut dire que la psychologie américaine (voire occidentale, sous sa forme de « psychologie scientifique » ou de « psychologie expérimentale ») a été tout entière plus ou moins apparentée à la S.-R. psychologie, et ce, pendant plus d'un demi-siècle.

Signalons les deux tendances majeures qui, aujourd'hui, occupent la place de l'expérimentalo-comportementalisme primitif, et qui sont d'une part, la neuropsychologie, avec la promotion de l'« homme neuronal », et d'autre part, le « cognitivisme », avec l'avènement de l'« intelligence artificielle ».

La neuropsychologie, illustrée à l'origine par Lashley, s'est affranchie de l'aphysiologisme du behaviorisme primitif ; entre stimulus et réponse se trouve la « boîte noire », certes ; mais elle n'est pas tabou, et il peut être parfaitement intéressant de préciser les processus qui s'y déroulent.

L'évolution des techniques d'enregistrement des potentiels d'action cellulaires, et des techniques d'implantation d'électrodes de plus en plus fines en des lieux de plus en plus précis (stéréotaxie), ont permis de décrire les rapports dynamiques des différentes structures intervenant dans le comportement instinctif (hypothalamus), le comportement affectif (rhinencéphale, lobe limbique), l'activité cognitive (néocortex), ainsi que l'importance des structures de convergences (structures réticulaires, cortex associatif, etc.).

L'excitation et la destruction très précise de différentes parties du cerveau ont conduit à préciser (principalement chez les animaux) les différents centres et circuits qui conditionnent les grandes activités ou les principaux états psychiques : mémoire-apprentissage, vigilance, attention, sommeil et rêve.

Récemment, l'introduction de la caméra à positrons, sensible au rayonnement produit par des isotopes radioactifs injectés dans le sang, permet de *voir* l'état d'activité des populations de neurones cérébraux, sans effraction de la boîte crânienne. Ces procédés d'« idéographie » sont applicables à l'homme et permettent ainsi d'aborder l'observation cérébrale directe de l'activité mentale.

Toujours chez l'homme, l'observation de cas pathologiques (traumatismes, tumeurs) a permis de préciser les « localisations » des structures mises en jeu lors des activités verbales ; et depuis quelques années, l'étude de cas de sujets au cerveau « dédoublé » (ayant subi des sections des fibres qui relient normalement les deux hémisphères) a mis en lumière le rôle asymétrique et complémentaire des hémisphères cérébraux.

L'hémisphère droit est spécialisé dans le traitement des informations visuelles (reconnaissance des visages et des formes, mémorisation des relations spatiales, etc.) et des analyses mélodiques, tandis que l'hémisphère gauche est chargé de l'organisation temporelle de la motricité fine, et des activités symboliques et parolières. Le cerveau droit serait celui de « l'artiste », et le gauche celui du « scientifique »...

Bref, l'on peut dire, en cette fin du XXe siècle, que la « boîte noire » des premiers behavioristes est devenue transparente, et un neuro-biologiste contemporain des plus notoires peut écrire : « L'homme n'a plus rien à faire de l'"Esprit", il lui suffit d'être un Homme Neuronal » (J.-P. Changeux).

Reste à savoir si le cerveau et l'esprit sont réellement synonymes... Nous y reviendrons au chapitre « biologie et psychologie ».

De l'opérationnalisme au cognitivisme : l'Américain Tolman (1920) fit la critique du modèle trop succinct de la psychologie science du comportement exprimé en termes de stimulus-réponse. Comme à beaucoup d'autres, et sans doute à Watson lui-même, il lui paraissait évident qu'entre S. et R. se situent des processus importants, d'ordre cognitif, affectif ou motivationnel. La formulation d'un comportement doit ainsi envisager trois types de variables : les variables indépendantes, contrôlées par l'expérimentateur (situation ou stimulus), les variables dépendantes (réponses observées), et, entre les deux, les variables intermédiaires, parfois désignées plus globalement comme « organisme », « sujet », voire, ces dernières années, « personnalité » (Fraisse 1963)[1].

C'est à Hull (1943) que l'on doit les premiers essais approfondis de formulation de ces variables intermédiaires, sous forme d'« hypothetical construct » permettant de construire une hypothèse et de la tester expérimentalement. C'est la méthode « hypothético-déductive », qui débouche sur les recherches actuelles relatives aux modèles mathématiques en psychologie. Hull, pour sa part, a consacré ses travaux à la formalisation des lois de l'apprentissage.

Mais pour donner un tableau de la S.-R. psychologie contemporaine, il faudrait citer de très nombreux chercheurs, dont Skinner, qui est un des behavioristes les plus connus pour ses travaux sur le second type de conditionnement dit « opérant » et les techniques expérimentales mises au point pour l'étudier, ainsi que pour les conséquences théoriques et pratiques qu'il en déduit concernant les problèmes du langage humain et les méthodes d'enseignement programmé.

Cependant, les schémas trop mécanistes auxquels aboutissaient ces recherches provoquèrent, dans les années 60, la réaction violente du linguiste Noam Chomsky, dont nous reparlerons ultérieurement. Cette critique, accompagnée d'une

---

1. On consultera pour plus de détails le n° 9-13 du *Bulletin de psychologie* de 1968-1969 consacré à la méthode expérimentale en psychologie, et le symposium de l'Association de psychologie scientifique de langue française (*Le Comportement*, P.U.F. 1968). On y constatera une nette tendance à introduire, par le biais des variables intermédiaires, une psychologie « personnaliste », voire un essai de réhabilitation de la « conscience »...

prise de position anti-empirique radicale, proposait la recherche de modèles purement rationnels et uniquement centrés sur la « compétence » du sujet parlant, introduisant ainsi pour la première fois les théories dites « générativistes », c'est-à-dire la formation des processus à l'œuvre, logiquement nécessaires, pour la construction des énoncés paroliers (et au-delà, pourquoi pas? de tout comportement socialisé). Le travail des chercheurs consisterait alors à établir les grammaires fondamentales, et, pour certains, à vérifier expérimentalement que ces modèles théoriques ont une correspondance psychologique (ou neurophysiologique).

Quelles que soient les critiques possibles — et elles sont nombreuses, nous le verrons — de l'attitude chomskyenne, elle eut le mérite de redonner souffle aux recherches sur la « cognition ». Elles survenaient, ce n'est pas un hasard sans doute, au moment où le développement des ordinateurs posait le problème des interactions homme-machine, des rapports langages artificiels-langages naturels, et des simulations par la machine de l'intelligence humaine.

Les problèmes, actuellement très importants, de « l'intelligence artificielle » et des systèmes experts se situent dans cette lignée.

4.

LA PSYCHOLOGIE : SCIENCE DES INTER- ET EXTRA-COMMUNICATIONS ?

Bien que considérant l'apport du behaviorisme comme important, Politzer notait déjà : « Le behaviorisme piétine sur place... », et il lui reprochait de ne pouvoir fournir les bases d'une « psychologie concrète », au sens où il l'entendait, c'est-à-dire une science de la « vie dramatique de l'homme », qu'il voyait par contre en germe dans la psychanalyse.

C'est un fait qu'avec cinquante ans de recul, le tableau de la psychologie s'est structuré apparemment de la façon suivante :

La S.-R. psychologie et la psychologie expérimentale ont accumulé une grande somme de travaux, mais restent au niveau des théories et des recherches sur les mécanismes « fondamentaux », et ne permettent guère aux praticiens de rendre compte d'un comportement humain concret.

Parallèlement, et fonctionnant aussi en termes de stimulus-réponse, la psychométrie ou « testologie », aux incidences beaucoup plus pratiques, aboutit : ou bien, essentiellement, à une mesure comparative d'efficience (niveau mental, détérioration, classement selon une échelle d'aptitude), certes souvent utile et sans doute efficace, mais finalement d'intérêt spécialisé et limité, et souvent taxée d'empirisme, ou bien, dans le cas des tests projectifs ou de « personnalité », à des résultats en concurrence et redondance avec l'examen clinique bien conduit. Il est assez apparent que plus les cliniciens acquièrent de l'expérience, et moins ils ressentent la nécessité d'utiliser les tests, qu'ils arrivent même à vivre comme une protection instrumentale devenue inutile, voire gênante, entre eux et le sujet examiné.

Or, cette expérience « clinique » est souvent liée à une formation psychanalytique ou parapsychanalytique, disons « dynamique » du psychologue. La psychanalyse, comme l'avait génialement prévu Politzer, a longtemps constitué le seul système cohérent qui permettait de pratiquer une psychologie concrète.

Mais alors un paradoxe éclate.

La science psychologique est élaborée dans les creusets des laboratoires et les publications des chercheurs, mais ne « sert à rien » dans la pratique... À tel point que nombre de psychanalystes pensent que, s'il est utile, pour pratiquer la psychanalyse, d'avoir une formation universitaire, il est inutile qu'elle soit spécialement psychologique ou psychiatrique.

Par contre, la pratique et la théorie psychanalytiques constituent une sorte d'idéal du Moi du praticien ; cependant que les psychanalystes déclarent que la psychanalyse, irréductible à toute autre discipline, n'est pas de la psychologie, et que les « scientifiques » affirment, de leur côté, qu'elle n'est pas une science…

La période contemporaine, marquant l'apogée de la S.-R. psychologie, accusait ainsi au maximum l'hiatus entre la théorie et la pratique. D'un côté se situaient un corps de théories générales et une accumulation de connaissances psychophysiologiques et expérimentales; de l'autre, une série de techniques ayant souvent peu à voir avec les précédentes, et dont l'absence de théorisation était compensée par la « formation personnelle » ou par « l'expérience clinique » du psychologue; à tel point qu'à la limite, on pouvait très bien imaginer un excellent praticien fort ignorant de la psychologie « théorique », et encore plus facilement, à l'inverse, un chercheur fort savant mais parfaitement incapable de mener à bien un examen psychologique[1] (pour ne pas parler d'une relation psychothérapeutique).

Mais cette situation paradoxale, qui a alimenté les discussions et fourni maintes raisons de controverse, s'est modifiée subrepticement : la « psychologie science expérimentale du comportement » a cédé la place à la « psychologie science des communications inter- et intra-individuelles » et ce par une double évolution : à la fois au niveau de la définition de son objet et au niveau de son idéal méthodologique.

---

1. Ceci explique les difficultés rencontrées pour faire admettre les diplômes du 3e cycle de recherche (D.E.A.) comme qualifiant pour l'acquisition du titre de psychologue.

La méthode ou les méthodes ?

Si l'expérimentalisme a si peu satisfait les besoins des praticiens, c'est peut-être que son objet était mal défini, mais aussi que l'expérimentation ne constituait pas forcément la méthode la plus adéquate.

La méthode expérimentale s'est imposée en fait dès la naissance de la psychologie scientifique : rappelons-nous que celle-ci est apparue à la fin du XIXe siècle et s'est constituée en opposition avec la psychologie littéraire et philosophique. La psychologie, définie comme physiologie du psychisme, prenait son modèle dans les sciences expérimentales, et nous avons déjà vu qu'une telle voie aboutissait finalement au comportementalisme expérimental et, au-delà, au cognitivisme et au « cérébralisme ».

Les résultats sont certainement loin d'être nuls : ils ont abouti à l'établissement de lois générales du fonctionnement comportemental (en particulier dans le domaine de la mémoire et de l'apprentissage), et ont contribué au développement de la physiologie sensorielle et cérébrale.

Mais la fascination exercée par la méthode expérimentale l'a fait identifier à la « science » en général, et a fait oublier : 1) qu'elle a des limites inhérentes à son épistémologie, 2) qu'elle n'est pas applicable à tous les objets, 3) que d'autres méthodes, aussi « scientifiques » qu'elle, existent.

L'expérimentation correspond en effet à une démarche analytique réductrice. Or la compréhension ou l'explication du comportement d'un organisme peut se faire de deux manières : soit en analysant ses composants et en déterminant leurs modes de fonctionnement, soit en considérant cet organisme comme étant lui-même un composant d'un ensemble supérieur qui détermine son activité et, par là, lui donne un sens.

Les deux directions, réduction analytique ou intégration extensive, ne sont pas incompatibles, mais aboutissent à des résultats complémentaires dont les natures différentes nécessitent des modes d'approche différents.

La réduction analytique sera particulièrement liée aux méthodes expérimentales, et elle aboutira essentiellement à l'édification des « sciences de la compétence » : compétences cérébrale et sensorielle, par exemple.

Généralement, dans cette perspective, l'organisme est considéré comme échantillon représentatif d'un ensemble d'organismes similaires dont les autres membres obéissent aux mêmes lois fondamentales, et toute contextualisation singulière est inutile, voire évitée : tous les cerveaux d'hommes adultes et bien portants fonctionnent de la même manière, et les lois de l'apprentissage sont les mêmes pour tous.

L'autre mode d'approche est celui du *naturalisme*, dont l'idéal n'est pas l'expérimentation mais l'observation-description.

Il ne s'agit plus d'analyser, réduire ou isoler pour « falsifier » une hypothèse préalable, mais d'appréhender des ensembles de façon dynamique dans leur déroulement naturel.

La compréhension de l'organisme n'est plus basée sur la micro-analyse de son fonctionnement, mais sur la description des relations réciproques qu'il entretient avec son milieu. La rigueur scientifique n'est plus liée à la beauté d'un plan expérimental, mais à la validité de l'observation et de la description. Validité basée sur deux critères : 1 — La fiabilité des observations : que des observateurs différents perçoivent les mêmes données ; ce qui implique des techniques de prises de données sophistiquées, et des définitions d'unités pertinentes. 2 — L'adéquation des procédés de traitement des données, qui peut aller de la simple description en langage ordinaire, aux formalisations descriptives mathématiques et statistiques les plus variées (analyses factorielles des correspondances, analyses séquentielles, etc.).

Dans cette optique, ce n'est plus la compétence potentielle qui est l'objet direct de l'investigation, mais les performances concrètes. Il ne s'agit pas de savoir de quoi est capable l'organisme, et grâce à quels mécanismes internes, mais de décrire ce qu'il réalise concrètement dans des situations spatio-temporellement définies. L'organisme est donc *contextualisé*, conçu comme toujours solidaire d'un milieu avec lequel il interagit.

Nous l'avons dit, expérimentalisme et naturalisme se complètent, et toute expérimentation nécessite (au moins en principe), peu ou prou, une observation préalable ; mais il s'avère aujourd'hui que l'observation naturaliste peut être bien autre chose qu'un simple premier temps expérimental : elle constitue une méthode à part entière.

Enfin, un troisième groupe de méthodes est utilisé en psychologie, particulièrement en psychosociologie : *les méthodes d'enquête et questionnaires*, dont on sait le grand usage qui en est fait actuellement (sondages d'opinion, études de marché, etc.). Méthodes qui se rapprochent de la méthode d'observation naturaliste : il s'agit d'aboutir à la description d'une situation et de comportements précis, mais ici par la médiation des représentations verbales qu'en donnent les sujets, alors que, dans la précédente, les résultats étaient obtenus par l'observation directe.

C'est l'extension (et la réhabilitation) de la méthode naturaliste qui a permis le développement de la période actuelle de la psychologie « science des communications ».

Seules, en effet, des études de terrain et des méthodes descriptives pouvaient permettre la mise en évidence et la formalisation des interactions dans leur variété et leur complexité. C'est sans doute pour ces raisons que les modèles naturalistes rejoignent enfin les préoccupations concrètes des psychologues praticiens, particulièrement des cliniciens et des psychosociologues.

Cependant, plusieurs ordres de faits ont convergé avec cette ouverture méthodologique, pour faire de la psychologie d'aujourd'hui, une psychologie des communications.

Citons pêle-mêle :

— l'épanouissement de la théorie des communications, initiée par les travaux de Shannon et de Wiener, relayée par les théories systémiques ; elle offre des concepts et une terminologie de base ;

— l'expansion de l'éthologie qui a fourni une convaincante illustration de la fécondité de l'approche naturaliste ;

— l'approfondissement et l'extension des concepts et de la pratique psychanalytiques (particulièrement avec la prise en compte, à travers l'analyse du transfert-contre-transfert, de la nature interactionnelle de la cure psychanalytique) ;

— l'accession de la linguistique au rang de discipline pilote des sciences humaines, avec successivement l'apport structuraliste, puis aujourd'hui l'apport pragmatique, ce dernier aboutissant à une révision profonde du statut et de la nature du langage ;

— Le développement, enfin, d'une sociologie de la vie quotidienne (microsociologie) qui inaugure un nouveau champ de recherche étho-anthropologique, centré sur les interactions et les pratiques communicatives de la vie de tous les jours.

Il paraît donc nécessaire de donner quelques précisions sur l'évolution actuelle de ces différents secteurs en ce qu'elle concerne celle de la psychologie.

Le modèle de la théorie des communications : un cadre terminologique

Le terme communication est sans doute un des plus utilisés aujourd'hui à la fois par le grand public et par les spécialistes, voire plusieurs catégories de spécialistes (anthropologues, psychologues, sociologues, journalistes, publicistes, économistes...). On peut donc s'attendre à ce qu'il soit polysémique, et, en 1976, on en recensait 26 définitions basées sur 15 composantes conceptuelles.

Le plus souvent, le concept de « communication » est lié à celui d'« information » : la communication étant conçue comme transmission d'une « information » d'un système A à un système B, l'information elle-même étant conçue comme un « savoir » ou comme un « événement ». Les deux sont, en fait, liés lorsqu'il y a communication : la transmission d'un savoir étant un événement. C'est cette idée qui a été exploitée par Cl. Shannon, ingénieur de la Compagnie de téléphone Bell, qui a ainsi pu proposer un procédé pour mesurer l'information. Un événement est en effet probable ou improbable. Probable, il informe peu, improbable, il informe beaucoup. Un exemple trivial en permet l'intuition : quand le voisin de palier que l'on rencontre chaque matin dit « bonjour, comment ça va ? », l'information est pratiquement nulle. Par contre, le jour où il détourne la tête et ne dit rien, cette absence d'énoncé est certainement informative. (On remarque dans cet exemple que l'information est bien liée à la probabilité de l'événement : ici l'absence improbable d'un énoncé est plus informative que l'énoncé lui-même !)

La science des communications est liée à la science de la transmission des informations, et recouvre donc en pratique deux champs différents bien qu'apparentés :

1) *Celui des communications médiatiques* (journaux, télévision, etc.) : communications généralement à sens unique, souvent différées, liées étroitement au problème de la diffu-

sion des informations, et donc largement ouvertes aux actions publicitaires (politiques et/ou commerciales).

2) *Celui des communications interindividuelles* (dont le prototype est le « face à face ») : elles sont généralement directes, elles concernent toutes les situations de rencontres quotidiennes : sociales, professionnelles, pédagogiques, familiales, cliniques, etc. Elles sont généralement interactives. C'est cette dernière acception qui concerne au premier chef le psychologue. Le schéma général de communication proposé par Shannon en prologue à sa théorie de l'information est applicable à tous ces cas.

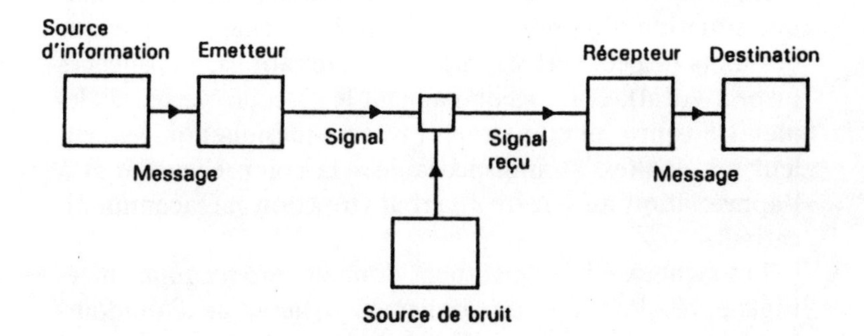

La source est le lieu de conception du message (en clinique, par exemple, selon le point de vue, la source = le « cerveau », ou le « psychisme »). Le *message* est l'information, représentation ou concept... à transmettre. L'*émetteur* est l'instrument de mise en forme du *signal énoncé*, ce qui nécessite un *codage* du message, adéquat au canal de transmission choisi. Le *canal* est le support physique qui permettra la transmission du signal de l'émetteur au *récepteur*. Celui-ci, grâce à un décodage, restituera le message utilisable pour le *destinataire* alors informé. Enfin, le *bruit* désigne tout phénomène qui altère la communication, c'est-à-dire qui compromet plus ou moins l'identité du message émis et du message reçu.

L'application de ce schéma élémentaire à la situation de communication interindividuelle (telle celle de l'entretien psychologique ou psychothérapique, par exemple) nécessite deux ajouts importants : la notion de multicanalité et celle de rétroaction directe.

La multicanalité : le psychologue comme son client, dans une situation d'entretien par exemple, n'échangent pas que des mots (aspect verbal), mais des intonations, des silences (aspect vocal), et ils accompagnent le discours verbal d'éléments posturo-mimo-gestuels (aspect kinésique) qui véhiculent un « co-texte » indispensable à la compréhension et à l'appréciation du « texte » verbal (fonction métacommunicative).

Les signaux émis constituent donc un *énoncé total*, hétérogène, résultant du fonctionnement synergique d'au moins trois sous-systèmes (verbal, vocal, kinésique).

Une partie (la verbalité) est codée sur un mode digital, arbitraire, et permet une organisation rationnelle et peu ambiguë de la communication, tandis que l'autre partie (vocalité et kinésique) est codée généralement sur le mode analogique, qui véhicule plus d'affectivité, d'irrationnel, et qui permet plus d'ambiguïté. Cependant, arbitraire ou analogique, les deux modes sont conventionnels et fonctionnent en étroite relation et complémentarité.

La rétroaction directe : elle est liée au fait que le premier communicant, considéré comme émetteur dans le modèle décrit ci-dessus, fonctionne en réalité simultanément comme récepteur. Il est continuellement informé des effets de son énoncé sur le second communicant par les propres émissions de ce dernier. Ces processus d'action et rétroaction permanentes permettent la synchronisation des deux communicants, et vont conditionner le déroulement de l'interaction. Mais ils constituent de ce fait un des points les plus fragiles de la communication, qui est très facilement perturbée par les asynchronies ou dyssynchronies. C'est très souvent à ce niveau que se manifeste en premier lieu la pathologie des communications.

Le paradigme éthologique : un exemple naturaliste

Caractères spécifiques de l'éthologie

L'origine de l'éthologie est liée étroitement à la zoologie. Le terme lui-même fut créé en 1856 par le naturaliste Geoffroy Saint-Hilaire pour désigner l'étude des comportements des diverses espèces animales, et il est classique dans toute introduction à l'éthologie d'évoquer Darwin, Heinroth, Fabre, Whitman, Von Uexkull, puis les trois prix Nobel 1973 :

Lorenz, Tinbergen, von Frisch... autant de grands noms de biologistes et zoologues.

Découlent de cette ascendance zoologique un certain nombre de traits particuliers. Alors que, pour la psychologie behavioriste, l'animal sert à vérifier expérimentalement des hypothèses concernant le comportement humain, ou à préciser des problèmes de psychologie générale hérités de la psychologie des facultés mentales (l'« émotivité », l'« intelligence », la « mémoire », l'« attention », l'« apprentissage », etc.), pour l'éthologie, c'est le comportement propre à l'espèce qui importe en premier lieu.

Les différences interspécifiques, et même interindividuelles, présentent tout autant d'intérêt pour le chercheur que les ressemblances. Les éthologues ont ainsi montré que l'on peut utiliser les descriptions des schèmes comportementaux spécifiques pour compléter les études taxinomiques et pour expliquer certains phénomènes de spéciation et de pression écologique. Les comportements sont aussi caractéristiques de l'espèce que les détails anatomiques ou physiologiques.

L'objet de l'éthologie est l'étude du « comportement animal » dans son écologie habituelle. Comportement spontané, étudié sur le terrain, par opposition au comportement réactionnel (ou provoqué), étudié en laboratoire par les expérimentalistes. On a pu dire que si les behavioristes étaient les spécialistes de l'apprentissage, les éthologues étaient les spécialistes de l'instinct. Quoi qu'il en soit de ces oppositions aujourd'hui trop schématiques, il n'en reste pas moins vrai que l'objet privilégié de l'étude éthologique sera l'animal total, se comportant librement dans son milieu naturel ou semi-naturel.

La méthode en sera, pour les raisons précédentes, « naturaliste », c'est-à-dire largement basée sur l'observation et la description. Ce sont les animaux qui posent les problèmes au chercheur, et non l'inverse, comme bien souvent en psychologie expérimentale. L'éthologue commencera donc son étude par le « sit and watch », s'efforçant de capter le maximum d'informations avec le minimum d'idées préconçues, dans une attitude qui pourrait évoquer l'« attention flottante » du psychanalyste. L'éthologue cherche alors à établir des « éthogrammes », en précisant, avec autant de minutie et d'objectivité qu'il lui paraît nécessaire, le répertoire des unités comportementales et leurs combinaisons. Ces données sont ensuite interprétées par rapport aux deux axes, synchronique et diachronique :

— *axe synchronique* : comment ce qui est observé chez un individu s'articule avec le contexte d'environnement. Ce dernier étant souvent social, les éthogrammes seront souvent des éthogrammes d'interaction, figurant de véritables « dialogues » entre individus.

— *axe diachronique* : comment s'est organisé le comportement étudié, que représente-t-il dans le programme individuel et dans celui de l'espèce ?

L'étape suivante sera éventuellement expérimentale, c'est-à-dire qu'on essaiera de préciser certains aspects en créant des conditions semi-naturelles d'observation privilégiée et orientée.

La « théorie » n'est pas, en fait, spécialement éthologique. Étant donné son origine, son objet et ses méthodes, la théorie éthologique se confond avec la « théorie biologique », et, pour cela, l'éthologie est parfois considérée comme une « biologie du comportement ». En fait, il s'agit plutôt d'un cadre conceptuel assez général, dont on peut énumérer quelques principes.

— L'organisme est la réalisation du programme biologique de l'espèce, et son comportement, résultat de la construction épigénétique, est phénotypique au même titre que ses caractères anatomophysiologiques.

— Le programme n'étant pas une affaire d'individu isolé, mais d'espèce, l'individu ne peut être intelligible que par l'étude de ses relations avec son milieu physique et social. L'éthologie est donc, pour une grande part, une biologie de l'interaction.

— L'organisme et son groupe social, ainsi que la biocénose à laquelle ils appartiennent, sont des systèmes régulés. Tout comportement possède une fonction homéostasique et peut s'interpréter dans le sens de l'adaptation évolutive phylogénétique (optimisation comportementale).

Orientations privilégiées

Les caractéristiques précédentes font que les recherches éthologiques sont particulièrement fournies dans certains domaines, tels celui du développement du comportement, et ceux des communications et de la vie sociale. Par contre, les problèmes généraux de la psychologie de la « compétence » (mémoire, apprentissage, intelligence, etc.) ne constituent pas des thèmes éthologiques de prédilection, encore que, bien entendu, les multiples résultats obtenus concernant chaque espèce puissent être regroupés sous ces étiquettes et nous en apprendre parfois beaucoup plus sur les capacités réelles des animaux dans ces domaines que ne peuvent le faire les expériences behavioristes classiques, souvent trop artificielles, du fait d'un manque d'informations préalables sur les problèmes spécifiques de l'espèce considérée et ses solutions non moins spécifiques. (Ainsi assiste-t-on aujourd'hui au développement d'une « éthologie cognitive ».)

Grâce aux travaux des éthologues, il est maintenant bien connu que chaque espèce animale possède un système de communication, avec un répertoire et des règles pragmatiques, particulièrement, bien sûr, dans les espèces dites « sociales ». Ces signaux sociaux utilisent plusieurs canaux (et non uniquement le son); ils peuvent être visuels, tactiles, olfactifs, et même parfois électriques. Les signaux interviennent dans le déroulement du comportement de reproduction, que ce soit la reconnaissance et le choix du partenaire, les phases de parade et de cour, et la phase d'accouplement, ou qu'il s'agisse des soins précoces accordés aux nouveau-nés et des interactions précoces. L'étude de ces processus a mis en évidence les phénomènes, maintenant bien connus, de l'« empreinte » et de l'« attachement », ainsi que des « périodes sensibles » et des « inducteurs spécifiques ». On sait aussi que les perturbations de ces relations précoces peuvent entraîner des troubles qui rappellent certains tableaux de la pathologie humaine, en particulier des modèles de dépression et de dissociabilité, mis en évidence par Harlow chez les macaques et étudiés depuis par de nombreux auteurs.

La séparation précoce du jeune macaque d'avec sa mère et ses congénères provoque des troubles comparables aux troubles de l'« hospitalisme », décrits par R. Spitz; et certaines attitudes d'auto-érotisme et d'automutilation, consécutives à l'élevage en isolement social, rappellent les comportements stéréotypés des enfants autistes.

De plus, si la privation sociale se poursuit au-delà d'un certain âge, les animaux présenteront des troubles difficilement réversibles : associabilité, troubles du comportement sexuel, avec une quasi-impossibilité de s'accoupler et, quand ils y parviennent, gros troubles du comportement parental.

Les nombreuses études de la vie sociale ont d'autre part popularisé les notions de *territoire* et de *hiérarchie*. Les sociétés animales fonctionnent comme des systèmes régulés : avec une distribution des fonctions, des comportements et des répertoires. Selon des contraintes spécifiques, la place de chaque individu est socialement déterminée, participant à un équilibre adaptatif complexe, qui lui-même résulte des sollicitations actuelles de l'environnement, des déterminismes de l'histoire individuelle, et de la compétence de groupe; cette dernière étroitement liée aux potentialités génétiques de l'espèce.

Ces processus d'auto-organisation et d'autorégulation nécessitent, entre les membres du groupe, des interactions communicationnelles variées, et donc des systèmes de communication sophistiqués, avec un répertoire de signaux spécifiques et une syntaxe pragmatique précise.

Les perturbations de ces processus, comme, par exemple, les transgressions des règles sociales, provoquées par l'impossibilité d'établir un territoire ou une hiérarchie, provoquent généralement divers troubles « psycho-somatiques ». Ainsi a-t-on pu créer des hypertensions chez des souris élevées dans des dispositifs qui les obligeaient à des rencontres multiples, sans sécurité territoriale possible ; de même a-t-on pu observer des troubles cardio-vasculaires avec mort éventuelle, lorsqu'on isolait des Babouins mâles dominants, tout en leur permettant d'assister, impuissants, à la réorganisation de leur groupe social d'origine autour d'un mâle étranger...

Dans la nature, la perturbation des normes écologiques peut provoquer, à travers des mécanismes analogues, la disparition de certaines espèces.

Doit-on dès lors en déduire que les animaux ont des langages ?

Non. Mais cela permet de mieux concevoir ce qui est spécifique du langage (humain), par rapport aux systèmes de communication des animaux. Ces systèmes sont, en fait, pratiquement capables (en totalité ou seulement en partie, selon les espèces) d'assurer les six fonctions de la communication décrites par Jakobson[1] sauf une : la fonction sémiotique ou représentative ou symbolique.

---

1. Les fonctions : expressive, conative, phatique, représentative, méta-communicative, poétique.

Cela signifie que les signaux émis sont toujours, chez les animaux, liés directement aux conditions énonciatives : états actuels des interactants et contexte présent. La fonction symbolique implique au contraire la possibilité de détacher l'information de l'*hic et nunc*, c'est-à-dire d'informer sur un objet absent.

Deux conditions sont pour cela requises : 1) la représentation « mentale » de l'objet absent ; tout porte à croire que la plupart des Mammifères supérieurs en sont capables ; 2) la représentation « communicative », sous forme de signaux, de cette représentation mentale.

C'est cette représentation de représentation qui caractérise la fonction sémiotique. Elle ne peut se faire que par l'utilisation de signaux conventionnellement reliés à la représentation mentale de l'objet absent. Et c'est cette fonction sémiotique qui est caractéristique du langage humain et qui lui confère un avantage décisif : informer sur des objets (ou des événements) passés, présents ailleurs, ou même fictifs. C'est par cette fonction qu'a pu se créer la culture humaine et son évolution cumulative. C'est donc en cela que réside le *critère du langage*, qui se définit comme un mode de communication utilisant des signaux conventionnels (des « signes » diront les linguistes).

Partant de ces observations et de ces considérations, certains chercheurs ont donc essayé de voir jusqu'où les espèces proches de l'espèce humaine (grands singes anthropoïdes) étaient capables d'utiliser des systèmes conventionnalisés. Ces Primates se révélant inaptes à utiliser un système vocal, les recherches modernes se sont tournées vers le canal visuel. Ce sont les célèbres travaux de Gardner, avec l'utilisation de la langue gestuelle des sourds américains, et ceux de Premak et de Rumbaugh, avec des systèmes idéographiques. Ces différents travaux ont montré que les Chimpanzés sont capables d'apprendre un répertoire de signaux conventionnels et de s'en servir à bon escient pour demander de la nourriture, ou exprimer un jugement, par exemple. D'autre part, ils sont capables de combiner ces signaux en « phrases », et même, semble-t-il, d'y associer leurs signaux naturels. Ces combinaisons présentent un certain degré de créativité (ils sont capables d'inventer et d'interpréter de nouvelles phrases) et de syntaxe (rappelant le niveau des enfants humains de 18-24 mois). Enfin, des observations récentes auraient montré que des Chimpanzés éduqués sont capables d'utiliser leur acquis linguistique à l'occasion de jeux, de repas et d'échanges amicaux avec des congénères.

Cependant, ces animaux ne semblent pas dans la nature utiliser spontanément ces aptitudes protolinguistiques pour créer un langage. On peut penser que leur système de communication naturel suffit à réaliser l'essentiel de leurs besoins interactifs : ils n'ont pas besoin d'un système conventionnel pour communiquer dans l'*hic et nunc*, même si les travaux cités ci-dessus montrent qu'ils en sont capables. La conventionnalisation n'a en fait, comme nous l'avons souligné, qu'une justification : la possibilité de communiquer à propos des objets absents ; il faut reconnaître que les anthropoïdes en éprouvent probablement peu le besoin, et un système de communication « naturel » paraît leur suffire.

Applications à l'étude du comportement humain (étho-anthropologie)

Il y a deux façons non exclusives — et même, en principe, complémentaires — d'utiliser l'éthologie pour l'étude du comportement humain.

1) La première, la plus tentante mais aussi la plus délicate, consiste à comparer, et parfois à transposer, les modèles découverts dans une espèce animale, pour étayer des hypothèses faites au sujet de l'espèce humaine ou pour interpréter certains comportements; exemple, les nombreuses analogies suggérées pour expliquer l'agressivité (K. Lorenz, I. Eibl-Eibesfeldt), la territorialité (R. Ardey)... Certains ouvrages, tel *Le Singe nu*, de D. Morris, ont beaucoup contribué à populariser cette tendance, avec cependant le danger de passer de l'« éthologie, science du comportement », à l'« éthologisme », dérive idéologique des découvertes de la précédente. Dans cet ordre d'idées, on peut aussi mentionner les débats soulevés par la « socio-biologie ». Sous ce titre, O. Wilson propose une interprétation néodarwiniste des phénomènes sociaux et de l'évolution des sociétés. L'individu y est considéré comme un support de gènes et un agent de l'évolution, cette dernière étant au service de l'optimisation du code génétique de l'espèce.

Ainsi s'expliqueraient certains comportements « altruistes » et « égoïstes » dont le motif principal serait la défense et la multiplication des gènes spécifiques.

Quoi qu'il en soit, l'éthologie humaine sera en continuité théorique avec l'éthologie animale par les axiomes généraux suivants :

- Tout comportement s'intègre dans l'équilibre homéostasique de l'animal, selon les prescriptions du code génétique propre à chaque espèce. Au même titre que les autres systèmes physiologiques, le comportement intervient dans les processus régulateurs de l'organisme.
- Dans le répertoire des comportements propres à chaque espèce, les comportements de communication revêtent une importance particulière, spécialement chez les oiseaux et les mammifères[1].
- Les comportements de communication, bien que soumis au contrôle génétique, sont cependant élaborés au cours d'un processus d'épigenèse, durant lequel l'environnement social joue un rôle structurant fondamental chez les homéothermes.
- Comme les autres animaux, l'homme communique par nécessité physiologique, même quand il utilise un comportement verbal hautement élaboré. Ce sont les nécessités du code biologique qui mettront en action et utiliseront les possibilités du code linguistique, évolutivement second par rapport au code génétique.

2) La seconde façon d'utiliser l'éthologie consiste à en appliquer directement les méthodes et les concepts à l'espèce

1. Mais cela est vrai aussi et déjà chez les invertébrés.

humaine. On s'aperçoit alors que, dans la mesure où l'éthologie se caractérise par une approche naturaliste (observation, description), elle constitue aujourd'hui une « discipline transversale », intégrée en partie à la psychologie, à la sociologie et à la linguistique. Il n'y a donc pas lieu d'opposer l'éthologie à la psychologie : l'éthologie constitue une partie de la psychologie (l'éthopsychologie).

De nombreux travaux d'inspiration éthologique ont été ainsi effectués ces dernières années, particulièrement sur les communications entre enfants et sur les communications enfants-parents (interactions précoces). Ces travaux, dont nous reparlerons ultérieurement, ont renouvelé les conceptions sur la genèse des communications et du langage, et, au-delà, sur la formation de la personnalité, en montrant comment l'individu se construit à travers l'interaction en intériorisant les modèles de son entourage, et en expérimentant les siens propres au contact de ce même entourage.

Développement aussi d'une éthologie des interactions soignants-soignés, des institutions de soins, des comportements de la vie quotidienne, des situations pédagogiques, etc. Certains de ces aspects seront détaillés un peu plus loin.

La « nouvelle communication » et la psychologie

L'éthologie comparée nous a montré que, si les animaux communiquent (et bien que cette activité soit pour eux fondamentale), néanmoins ils ne parlent pas. L'activité communicationnelle de l'espèce humaine fera par contre grand usage de la parole. On peut donc s'attendre, *a priori*, que la psychologie humaine se soit depuis longtemps très largement occupée, tant sur le plan pratique que théorique, de cette fonction parolière si spécifique grâce à laquelle l'animal parlant s'appelle *homme*. De fait, la psychologie du langage existe depuis longtemps (c'est en 1923 que Piaget écrit *Le Langage et la pensée*), et la psycholinguistique, spécialité d'apparition plus récente, en est déjà, selon certains, à sa quatrième génération. Aujourd'hui, cependant, les phénomènes de communication et de langage apparaissent comme tellement importants en psychologie que leur étude et leur utilisation débordent largement ce qui correspondait à ces étiquettes spécialisées.

Si les communications inter- et intra-individuelles sont devenues l'objet principal de la psychologie d'aujourd'hui, c'est alors toute la psychologie qui se trouve concernée par les problèmes de langage, et, sur le plan pratique, le psychologue est un spécialiste de la communication (donc du langage qu'elle inclut) mais, on doit aussi le reconnaître, qui s'est longtemps ignoré comme tel.

Si nous reprenons, en effet, les schémas de la communication et les appliquons, par exemple, à la situation d'entretien psychologique (situation des plus fréquentes : examen, session thérapique, consultation...), le psychologue y apparaît de façon évidente en situation de communication interactive; son travail va être de recevoir (et parfois de susciter) des énoncés qu'il devra comprendre et interpréter pour en rendre compte en un métalangage (langage au sujet d'un autre langage) destiné à lui-même, au demandeur éventuel, et au sujet. Toutes ces étapes offrent des problèmes multiples, car le psychologue n'est évidemment pas un simple récepteur-décodeur-transmetteur (comme l'est, par exemple, un traducteur simultané); mais ce sont justement ces différents problèmes qui vont constituer les noyaux essentiels de la psychologie.

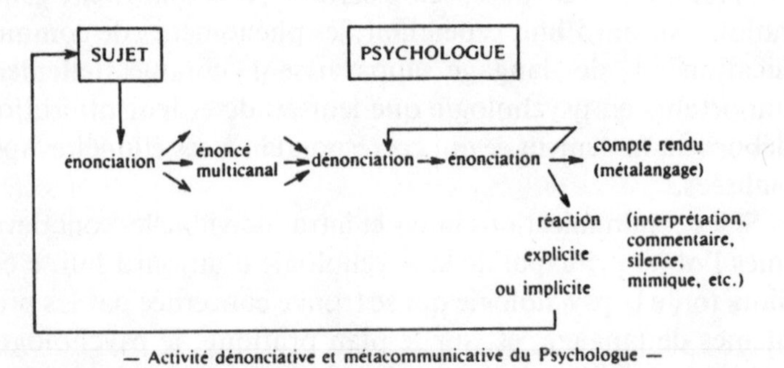

— Activité dénonciative et métacommunicative du Psychologue —

Citons en quelques-uns sous forme de questions :

• Le langage du patient exprime sa pensée. Mais quels sont les rapports de ce langage énoncé avec les pensées sous-jacentes ? Le langage est aussi organisateur de la pensée, mais il est aussi organisateur de la relation à autrui. L'énoncé est donc d'un côté le résultat d'un processus énonciatif, de l'autre un acte communicatif et interactif. Comment tout cela s'articule-t-il ?

• Le psychologue en situation perçoit cet énoncé. Comment le comprend-il? Comment l'interprète-t-il en fonction de sa propre personnalité, de ses grilles théoriques? Qu'est-ce qui détermine finalement ses réactions, et comment, à partir de tout cela, réalise-t-il son métalangage?

Répondre à ces questions dépasse les possibilités de ce livre; mais la linguistique pragmatique actuelle nous a apporté quelques notions nouvelles qui permettent de mieux les poser.

Et, en premier lieu, qu'est-ce que le langage? qu'est-ce qui le définit parmi les autres systèmes de communication? à quoi sert-il dans les communications humaines?

On peut schématiser l'évolution des conceptions actuelles dans l'énoncé suivant : *le langage n'est plus ce que l'on dit, car il est multicanal; il ne sert plus à ce que l'on pense, car il est multifonctionnel.*

Le langage est multicanal

Les définitions traditionnelles du langage peuvent se schématiser ainsi : le langage est un instrument de communication (ou d'expression de la pensée) de réalisation acoustique doublement articulé et de nature arbitraire. Le schéma classique de R. de Saussure en est une bonne illustration : le langage est une procédure de bouche à oreille entre deux têtes pensantes. Le corps est remarquablement exclu.

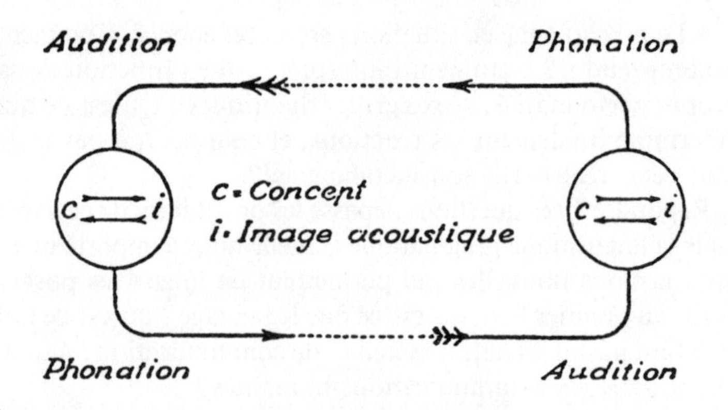

Or, ceci apparaît aujourd'hui trop réducteur pour plusieurs raisons dont deux majeures :

a) *la (re)connaissance de l'existence de langages non verbaux (ou non oralisés)*, dont le langage gestuel des sourds-muets est un exemple de mieux en mieux connu. Cette « langue des signes » n'est pas, en effet, une dérivation de la langue parlée, mais une langue autonome, avec son propre répertoire (de nature non arbitraire mais conventionnelle) et sa grammaire (aux propriétés originales, liées à la nature tridimensionnelle des énoncés).

Cette langue fait apparaître qu'un certain nombre de critères classiques de la langue (arbitrarité, double articulation) sont, en fait, des caractères liés au mode voco-acoustique dont ils ne sont qu'une conséquence nécessaire.

b) *La découverte de l'importance du non-verbal chez les entendants*

En fait, l'intrication étroite de la parole avec les éléments non verbaux apparaît très vite lors de toute étude naturaliste d'une interaction langagière de face à face. Les gestes, les mimiques, les regards et les variations vocales interviennent en de très nombreux moments pour compléter la parole, s'y substituer, la connoter, voire la contredire.

La place de ce non-verbal dans la composition même de l'énoncé est particulièrement évidente dans l'illustration et la référenciation, la désignation, la connotation. Le non-verbal joue aussi un rôle primordial dans la régulation de l'interaction; c'est par lui, le plus souvent, que le locuteur interroge son destinataire (réalisant, par la prosodie, les pauses, les regards et les mimiques, les questions suivantes : entends-tu? écoutes-tu? comprends-tu? qu'en penses-tu?); et c'est aussi par lui que le destinataire répond, grâce à un système gradué de « pilotage » : mimiques (en particulier le sourire), mouvements de tête (en particulier les hochements), émissions sonores (hum! hum! etc.).

Ainsi est-on amené à considérer les « énoncés » échangés entre deux interactants comme résultant d'une association synergique et synchrone d'éléments verbaux, vocaux et gestuels. L'énoncé total (« totexte ») étant composé du texte (verbal), et du « cotexte » vocal et gestuel.

Deux remarques sont à ajouter :

— la première, sur la fonction autorégulatrice (homéostasique) de la mimogestualité qui joue (en sus de ses fonctions communicationnelles déjà indiquées) un rôle facilitateur cognitif et régulateur émotionnel pour le parleur : c'est la fonction régulatrice « énonciative » ;

— la deuxième remarque, c'est que, pour toutes ces raisons, chacun aura non seulement un style énonciatif parolier, mais aussi un style énonciatif mimogestuel, les deux s'unissant pour définir le style langagier ou interactif. Des études quantitatives des différents paramètres (textuels et cotextuels) peuvent ainsi permettre de définir des profils caractéristiques des locuteurs, qui pourraient être utilisés comme éléments diagnostiques et/ou indicatifs d'une évolution thérapeutique.

Le langage est plurifonctionnel

« On parle pour dire quelque chose, et dire quelque chose c'est informer autrui sur une représentation ou un concept au sujet d'un référent étranger au discours. » Autrement dit, c'est la fonction représentative du langage qui est privilégiée, que ce soit pour Saussure (avec les notions de « Signifiant » et « Signifié »), pour Freud (avec celle de « représentation de mots » et « représentation de choses ») ou pour bien d'autres... Le schéma classique d'Ogden et Richards illustre parfaitement cette situation.

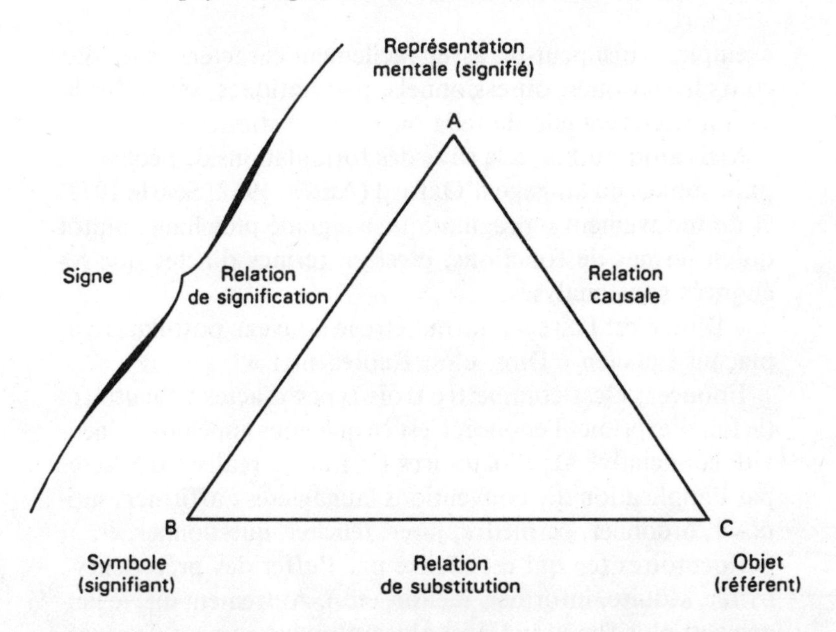

Ces conceptions ont été à la base du structuralisme contemporain et ont renouvelé, en leur temps, la linguistique traditionnelle. Mais déjà, le linguiste Jakobson avait remarqué qu'existent, outre la fonction représentative, au moins cinq autres fonctions langagières ; à savoir : expressive, conative (ou d'action sur autrui), phatique (ou de contact), métacommunicative, poétique.

L'application de ces six catégories permet déjà de faire des remarques intéressantes sur le langage (même dans ce cas limité à la partie verbale), en situation d'examen clinique, par exemple. Ainsi peut-on assez facilement caractériser les discours hystériques, obsessionnels, psychotiques, selon l'utilisation préférentielle de telle ou telle fonction.

Mais aujourd'hui, à la suite des formulations de l'école des philosophes du langage d'Oxford (Austin 1962, Searle 1972) et du mouvement « pragmatique » signalé plus haut, plutôt qu'en termes de fonctions, c'est en termes d'actes que les énoncés sont analysés.

« Dire, c'est Faire » pourrait être le nouveau postulat, remplaçant l'ancien « Dire, c'est Représenter ».

Énoncer, c'est commettre trois types d'actes : locutoires (le fait d'exprimer l'énoncé, c'est ce que nous appelons « l'activité énonciative »); illocutoires (le fait de réaliser des actes par l'application des conventions langagières : affirmer, supposer, ordonner, permettre, jurer, féliciter, questionner, etc.); perlocutoires (ce qui est réalisé par l'effet des précédents : irriter, séduire, informer, mentir, etc.). Autrement dit, le langage est plurifonctionnel, et plus qu'un instrument de représentation, c'est un instrument d'action.

Trois catégories de travaux peuvent illustrer la fécondité de ce point de vue pour la psychologie.

a) *L'étude des échanges paroliers au cours des conversations à bâtons rompus et des interactions cliniques*

• Dans une étude récente sur les interactions conversationnelles, nous avons étudié un corpus de 10 minutes au cours duquel 2 411 mots avaient été utilisés. Or, la suppression de toutes les paroles non informatives, c'est-à-dire dont l'absence ne nuisait pas en apparence à la cohérence de l'échange « officiel », aboutissait à un corpus réduit à 258 mots ! Si l'on considère donc la valeur informative-représentative des propos échangés dans une conversation, on constate que 10 fois plus de paroles sont utilisées qu'il n'est strictement nécessaire.

On pourrait supposer que ces paroles « inessentielles » sont une caractéristique banale du « bavardage » qui constitue la trame des conversations quotidiennes. Qu'en est-il alors dans les interactions « utilitaires » ou finalisées ?

• L'étude des échanges verbaux au cours d'entretiens cliniques (consultations médicales et consultations dentaires), traités en compte des actes de langage dans le premier cas, en durée de parole dans le second cas, montre que le total des actes porteurs d'information représente 32,3 % du total des actes de langage en consultation médicale ; alors que 60 % du temps de parole est consacré à du discours non professionnel (c'est-à-dire sans rapport apparent avec la finalité de la consultation) en consultation dentaire...

b) *Le travail de Labov et Fanshel (1977)*

Dans leur livre *Therapeutic discourse*, ces auteurs appliquent ces nouvelles conceptions du langage à l'étude d'une psychothérapie analytique appliquée à un cas d'anorexie mentale.

Leur modèle de « cross section analysis » est basé sur une analyse en deux temps : 1er temps, l'étude de « ce qui est dit » ; 2e temps, l'étude de « ce qui est fait ».

« Ce qui est dit » est établi à travers le « mode d'expression » et le « mode d'argument ». Le mode d'expression correspond au texte et aux indices paralinguistiques, c'est-à-dire à la transcription de ce que nous avons dénommé l'énoncé total (totexte = texte + cotexte). Le mode d'argument correspond à l'« expansion » de cet énoncé : explicitation des marqueurs énonciatifs (pronoms, marqueurs de temps, etc.), et mise à jour des implicites.

Le 1er temps consiste donc à expliciter ce que dit l'énoncé.

Le 2e temps (« ce qui se fait ») consiste à étudier l'interaction : quelles sont les actions réalisées par les parleurs (la patiente et son thérapeute) à travers leurs énoncés ? Labov et Fanshel définissent l'interaction comme « l'action qui affecte (altère ou maintient) les relations du "self" (le "soi-même") et des autres dans la communication de face à face ». Les actes langagiers réalisés ainsi sont évalués selon des catégories classiques pour les pragmaticiens : méta-actions (concernant le cadre du discours), représentations, demandes, défis et mises en question.

Le travail de Labov (auteur très connu comme sociolinguiste) et de Fanshel (psychothérapeute) est très exemplaire dans son approche : — porter attention à l'énoncé total (pas seulement verbal) ; — considérer que la question ultime au-delà du Dire est celle du Faire.

c) *La psychanalyse : de l'analyse du Dire à l'analyse du Transfaire*

De son côté la psychanalyse a, par l'évolution de sa pratique sinon celle de sa théorie, annoncé et illustré des positions fort proches des précédentes, thérapeutique « herméneutique » se transformant en thérapeutique « interactionniste ».

Partant de l'hypnose et de l'imposition des mains, qui

visaient à extorquer les souvenirs inconscients et à les accrocher à des énoncés verbaux, l'explicitation de ses conceptions du langage permit à Freud d'avoir une attitude plus sereine et moins « épuisante ». Ces conceptions, issues de son travail sur les malades aphasiques, étaient, à la fin du siècle dernier, très proches de la conception saussurienne du signe : les représentations d'objets conscientes résultent de l'association de représentations de mots et de représentations de choses. Ces dernières peuvent être refoulées, et n'acquièrent l'aptitude à devenir conscientes qu'en étant reliées aux représentations de mots. C'est cette « reliaison » qui fait l'objet de la psychanalyse, présentée ainsi comme une technique de décryptage de l'inconscient à travers et par le langage — l'alliance thérapeutique devant permettre au patient, par un exercice de libre association, de fournir un matériel exploitable (l'activité onirique en premier lieu). Cette conception « herméneutique » va profondément marquer la période très féconde de la naissance de la psychanalyse, et inspire à la fois la pratique et les publications, de 1895 à 1910.

La question dominante se pose ainsi : « qu'est-ce que ça veut dire ? », et le travail analytique est alors un travail de déchiffrement d'énoncés fournis par le patient.

Cependant, cette analyse de contenus, bientôt complétée par l'analyse des inévitables résistances, allait se heurter à une difficulté non prévue. Malgré la bonne volonté du patient, et la sagacité du psychanalyste, il s'avérait que le déchiffrement de l'inconscient, et sa mise en représentation de mots, même la plus judicieuse, n'amenait pas toujours, loin de là, la guérison ou la levée des symptômes. Freud en prit particulièrement conscience au sujet de l'analyse de Dora (1905).

C'est que l'énoncé du patient n'était pas qu'un Dire, mais, à son insu, un Faire, un « Transfaire[1] ». En « disant », le patient s'adresse à l'analyste, et la relation d'interlocution qu'il structure ainsi est elle-même liée à des problématiques inconscientes qui vont en faire une résistance majeure, si le psychanalyste s'y laisse prendre à son tour.

Freud, d'abord gêné, ne tarde pas à renverser la situation à son profit : « Le transfert destiné à être le plus grand obstacle à la psychanalyse devient son plus puissant auxiliaire si l'on réussit à le deviner chaque fois et à en traduire le sens au malade. » La technique va dès lors se développer dans ce sens, et l'analyse du transfert va devenir un de ses axes principaux ; évolution considérable qui transforme la psychanalyse en une thérapie interactionniste bien différente de l'herméneutique initiale, même si la théorie « métapsychologique » reste encore aujourd'hui plus centrée sur l'intrapsychique que sur l'interpsychique ou l'intersubjectif.

Le langage est contextualisé

L'énoncé total (totexte) ne doit pas seulement être « textualisé », c'est-à-dire perçu dans son ensemble et décodé selon

1. Freud disait évidemment un « transfert ».

l'application des règles de la compétence langagière; autrement dit, il ne doit pas être seulement « compris » dans le sens où l'on comprend « quelle heure est-il? », échantillon hors contexte d'une question traduisible, par exemple, en anglais « what time is it? », etc.; l'énoncé doit être aussi interprété en fonction du contexte : « quelle heure est-il? » peut alors se révéler être, non une question, mais une remarque éventuellement agressive sur le retard d'une personne attendue. La compréhension (*textualisation*) peut se faire hors contexte, mais n'est pas synonyme d'interprétation. L'interprétation nécessite la mise en contexte (*contextualisation*).

Le totexte est dynamique; il correspond à la somme de tous les événements (textuels ou cotextuels) qui surviennent au cours de l'interaction (du fait des interactants); mais il se situe toujours dans un contexte statique, déterminé par tout ce qui ne varie pas ou varie peu durant l'interaction. Les composantes du contexte sont très nombreuses, et variées de nature; elles ont fait, ces dernières années, l'objet de diverses analyses. Le tableau 2 en résume quelques aspects :

Contexte	Cadre	Site - Lieu- Proxémique		
		Temporalité		
		Finalités et Programmes		
		Assistance		
	Participants	Personnes	caractères personnels	temporaires
				permanents
			caractères sociaux	marqueurs
		Relations	structurelles (de rôle)	
			catégorielles	
			personnelles	
		Objectifs	de l'interactant A	
			de l'interactant B	
			...	

La contextualisation dynamique va utiliser deux groupes d'indicateurs.

1. Les embrayeurs énonciatifs (énonciatèmes)

Les linguistes se sont attachés (voir C. Kerbrat-Orecchioni, 1980) à étudier comment les énoncés langagiers (pour eux, dans leur aspect verbal, mais, pour le psychologue, cela doit être étendu au cotexte) sont porteurs d'unités dont le rôle manifeste consiste à relier l'énoncé au contexte. Tels sont, par exemple, les pronoms personnels, les marqueurs de temps et de lieu, etc. Nous avons signalé plus haut qu'en plus de ces marques objectives du lien de l'énoncé au contexte, existent des aspects subjectifs et personnels traduisant les positions affectives (voire les structures psychologiques) des sujets vis-à-vis de leur message ; ces traces de la subjectivité dans l'énoncé (modalisations diverses) révèlent les mécanismes de défense usuels des sujets.

2. Les indices de contextualisation

Ce sont des éléments du texte et du contexte (donc de l'énoncé total) qui servent au parleur pour signaler, et à l'auditeur pour saisir, comment le contenu sémantique doit être interprété et quelle est l'activité ainsi réalisée.

Ces éléments, nommés « indices de contextualisation » (*contextualization cues*) par J.J. Gumperz, sont utilisés le plus souvent inconsciemment et indirectement.

Grossièrement parlant, est un indice de contextualisation toute unité de forme linguistique (ou paralinguistique) qui contribue à signaler l'utilisation de présupposés contextuels, donc qui permet l'usage, dans le discours, de sous-entendus et d'implicites. Leur non-perception provoque évidemment des erreurs et des incompréhensions. Certains de ces « indices » sont objectivables et prennent des formes métacommunicatives : ainsi, l'emphase, les intonations, les mimiques et les gestes qui vont souligner, qualifier ou contredire une partie de l'énoncé.

D'autres, plus structuraux, prennent appui sur la « *plate-forme énonciative commune* » entre les collocuteurs, celle-ci découlant : *a)* des conventions sociales de fonctionnement du contexte, *b)* des règles d'implicitation, *c)* de la nature et de l'histoire éventuelle de la relation.

Citons quelques exemples simples :

1) « Avez-vous du sel ? » prononcé dans un restaurant sera contextualisé : « Je désire du sel. »

2) « Bonjour, ça va ? » adressé quotidiennement au voisin de palier, ne fait guère que confirmer la relation ; mais l'adjonction à cette formule rituelle de « ce matin » marque une allusion à un événement récent, supposé connu des deux personnes.

3) « Pas possible ! », dit avec un sourire et un hochement de tête en commentaire d'une information apportée par un tiers, va signifier « je vous l'avais bien dit »...

Le langage est interactionnel

Le langage est interactionnel pour plusieurs raisons. D'abord, comme nous venons de le voir, parce que la compréhension partagée des énoncés se base, au-delà d'une compétence langagière, sur une compétence communicative commune (au moins en partie) qui permet aux deux interactants de contextualiser de la même manière, ce qui suppose des règles d'interprétation et de production communes, et l'existence (ou la constitution rapide) d'une « plate-forme énonciative commune », ainsi que la possibilité de vérifier périodiquement un accord minimum.

D'où les notions de « synchronie » et de « pilotage interactionnel », et d'« accordage intersubjectif ».

1. Synchronie et pilotage interactionnels

La notion de synchronie interactionnelle a été introduite par W. Condon, à la suite de microanalyses d'interactions montrant que la motricité des interactants était très précisément synchrone des émissions vocales.

Nous avons d'autre part signalé plus haut les mécanismes de régulation indispensables au bon fonctionnement des échanges (ouverture, maintenance, passage des tours de parole, clôture); ce que nous avons appelé (co-)pilotage de l'interaction.

Nous n'insisterons pas davantage sur ces phénomènes,

sinon pour souligner leur grande importance en clinique : beaucoup de difficultés, voire de troubles pathologiques et de la communication interindividuelle, proviennent sans doute du dysfonctionnement de ce système d'ajustement interactionnel.

2. L'accordage intersubjectif

Mettre l'accent, comme nous l'avons fait jusqu'ici, sur les matériaux qui permettent la textualisation et la contextualisation, et sur la compétence communicative que ces processus impliquent, pourrait faire croire que les mécanismes d'ordre cognitif sont prévalents dans l'interaction. Or, ce serait une erreur. Si les fonctions du langage ne peuvent se résumer à la fonction représentative, et si, dans les interactions quotidiennes (telles les conversations à bâtons rompus, mais aussi, nous l'avons vu, dans des entretiens finalisés comme les consultations médicales), on trouve un pourcentage étonnamment élevé de paroles échangées qui paraissent « inessentielles », voire pragmatiquement « inutiles » ; si, d'autre part, la vie quotidienne est si minutieusement programmée et ritualisée, c'est qu'à travers le « bavardage » et le carcan rituel du savoir-vivre s'exprime et se contrôle quelque chose d'important qui échappe aux simples nécessités de l'efficacité opératoire.

A la différence des computeurs, l'être humain (comme d'ailleurs les autres mammifères) alimente ses interactions à des sources pulsionnelles et les accompagne d'un halo de résonances affectives. Langage et rites d'interaction sont là pour modaliser, permettre et réguler l'expression émotionnelle. Dès lors apparaît une autre dimension de la contextualisation : celle de l'attribution au partenaire de sentiments et d'affects indispensables au bon déroulement de l'interaction. Cet ajustement mutuel constitue l'« *accordage affectif* » qui est aujourd'hui l'objet de divers travaux. D'abord ceux des observateurs des « interactions précoces », qui montrent que, très jeune, l'enfant est capable de percevoir l'état affectif de la mère (et réciproquement).

Les interactions précoces sont en grande partie basées sur les échanges de signaux expressifs et affectifs, et sur leur ajustement réciproque multimodal. Or, ceci semble se faire par des identifications-imitations (échoïsations) corporelles : mimiques faciales surtout et vocales. Ce processus, très visible dans les interactions précoces, devient par la suite plus discret mais reste sans doute à l'œuvre. Il s'objective dans les processus de synchronisation interactionnelle, et se traduit dans les échoïsations mimiques et les convergences des styles voco-verbaux et gestuels. Or, différents auteurs ont récemment montré que l'adoption de certaines mimiques suffisait à provoquer les réactions physiologiques des états émotionnels correspondants.

On comprend donc qu'une partie de la « plate-forme énonciative commune » se traduise par l'aptitude à l'accordage affectif avec l'interlocuteur.

Cela laisse aussi entrevoir une nouvelle source de difficultés dans la communication : le traitement, par chacun de nous, de ses propres émergences pulsionnelles et affectives, se fait selon des stratégies personnelles (« mécanismes de défense ») qui vont utiliser la panoplie des prescriptions-proscriptions ritualisées que propose le milieu, mais chacun à sa manière — et cela pourra faciliter la synchronisation, ou, au contraire, la perturber plus ou moins gravement. Les psychanalystes ont, bien sûr, déjà traité de ces aspects, en particulier dans la description des différents types de « relation d'objet ».

Conséquences cliniques et psychothérapiques

Si, comme on l'admet de plus en plus, la psychothérapie se fait sur et par la communication interindividuelle, et si la psychologie clinique et pathologique est une psychologie de la communication, alors les conséquences cliniques et thérapeutiques du mouvement interactionniste de la nouvelle communication, dont nous n'avons fait qu'effleurer l'aspect langagier, devraient être importantes et nombreuses.

Je ne ferai qu'en esquisser le cadre.

1. Conséquences sur l'examen clinique

Deux conséquences apparaissent aisément.

a) D'abord pour une évaluation plus totale du comportement du sujet. Au-delà de la prise en compte de ses seules productions verbales (et d'une focalisation sur leur contenu), l'attention sera attirée sur la manière (le « comment ») dont le sujet utilise sa parole et sa motricité corporelle, pour s'adapter à cette situation d'interaction particulière que constitue l'entretien, et comment il arrive ainsi à se réguler, sur le plan tant affectif que cognitif. Évaluation, donc, de ce que l'on a pu appeler son « organisation verbo-viscéro-motrice », complétant la question classique « que dit-il ? » par une attention nouvelle au « comment communique-t-il ? ».

b) Ensuite, et cela découle de la préoccupation précédente, par une focalisation particulière sur l'interaction, et non simplement sur le sujet. Il apparaît en effet que le comportement du soignant est tout aussi éclairant que celui du patient, dont il s'avère étroitement complémentaire. Les modifications du comportement du soignant sont d'ailleurs un bon indicateur de l'évolution du patient.

De telles orientations de l'examen amènent à dresser éventuellement des « interactogrammes » qui peuvent, entre autres, permettre d'objectiver une action thérapeutique ; elles amènent aussi à établir des « budgets communication » : avec quels types d'interlocuteurs, et pour assurer quelles fonctions ou dans quelles circonstances, le patient entre-t-il dans une interaction au cours d'une journée banale ? Peuvent alors apparaître des *carences communicationnelles* dans certaines catégories de population (immigrés, personnes âgées...), mais aussi des distorsions liées à la pathologie individuelle.

2. Conséquences prophylactiques et thérapeutiques

Une meilleure connaissance des processus interactionnels permet de mieux former les soignants en les rendant plus attentifs aux transactions banales de la vie courante, et, par là, de mieux percevoir les sujets dans leur réalité vitale quotidienne, éventuellement d'agir sur ces transactions. Les stages de sensibilisation à la psychologie des communications répondent actuellement à une demande croissante du personnel soignant, qui prouve l'intérêt pratique de cette orientation. On sait d'ailleurs que l'application particulière des théories de la communication que constituent les « thérapies systémiques », s'est aujourd'hui généralisée et rend de multiples services à la fois dans la formation du personnel et dans le « traitement » des familles.

L'aspect psycho-social de ces orientations nouvelles est aussi d'actualité avec le développement de la psychiatrie extrahospitalière : il est important, au plan microsociologique, de pouvoir fournir des références transculturelles sur les compétences communicatives à une époque de brassage de populations. Il est aussi important de faire l'ethnographie des institutions soignantes, pour mieux connaître leur fonctionnement réel sur le plan des communications, afin de les transformer si possible en « espaces thérapeutiques ».

Enfin, sur le plan de la théorisation des pratiques thérapeutiques, une nouvelle conception du langage en termes d'interaction permet le dépassement des modèles structuralistes classiques (dont la psychanalyse a fait, depuis deux décennies, grand usage) et appelle à l'élargissement de la métapsychologie de l'intrapsychique vers la métapsychologie de l'interpsychique.

Il paraît aujourd'hui impossible d'élaborer la théorie d'une psychothérapie, quelle qu'elle soit, sans la fonder sur un examen systématique des processus de communication qu'elle met en jeu et qu'elle utilise (éventuellement à son insu).

Psycholinguistique et psychologie

Les paragraphes précédents ont montré les rapports de plus en plus étroits qui s'établissent entre la psychologie et la linguistique, particulièrement la pragmatique linguistique. Cela traduit l'importance psychologique capitale des communications *inter*individuelles.

Il conviendrait donc maintenant d'aborder les aspects *intra*-individuels et, plus précisément, les rapports du « langage et de la pensée », objet d'une discipline en expansion : la *psycholinguistique*. Nous allons essayer d'en situer quelques problèmes.

Les points de vue classiques

Ceux-ci peuvent se schématiser en deux catégories :

1) La pensée n'est qu'un langage intérieur. Pensée et langage sont étroitement associés. Il n'y a pas de pensée sans langage.

2) La pensée a un développement et une existence autonomes, liés au développement de la connaissance. Le langage n'est qu'un instrument secondaire au service de la pensée.

Le premier point de vue regroupe un grand nombre d'auteurs, et il est parfois qualifié de « whorfien ». L'anthropologue Benjamin Lee Whorf (1956) l'a en effet explicité et argumenté en utilisant des exemples tirés de comparaisons interculturelles. Pour lui, c'est la grammaire et le lexique qui organisent et dirigent les perceptions, les croyances et les attitudes à l'égard de la réalité ambiante. Les différences de conception et d'évaluation de cette réalité sont liées aux différences linguistiques. Les modèles linguistiques sont les supports de la vision du monde, et les utilisateurs d'une langue adoptent la vision du monde correspondante.

Les exemples qui illustrent cette thèse culturaliste du déterminisme linguistique sont aujourd'hui très nombreux, basés sur la comparaison des répertoires (la dénomination des couleurs en est un exemple classique), ainsi que sur les comparaisons des manières d'exprimer le temps, les relations entre objets, etc.

On dira en français, par exemple : « le journal dit que X » (ou « informe » ou « prétend », etc.), et nous trouvons cela très clair, comme si le journal réalisait vraiment des actions. Cette possibilité d'attribuer des actions aux objets inanimés n'existe pas en japonais, où l'on dira « X est écrit dans le journal ». Nous dirons aussi : « dix heures » et « dix pommes ». En hopi, la métaphore du temps comme collection d'objets est impossible, et l'évaluation du temps n'a rien de commun avec une collection de pommes...

Les conceptions whorfiennes ont été, en fait, très répandues depuis le début du siècle. « Psychologiquement, abstraction faite de son expression par les mots, notre pensée n'est qu'une masse amorphe et indistincte... il n'y a pas d'idées préétablies et rien n'est distinct avant l'apparition du langage », dit F. de Saussure, et, de son côté, un autre linguiste, E. Benveniste, écrit : « Le linguiste pour sa part estime qu'il ne pourrait exister de pensée sans langage et que, par suite, la connaissance du monde se trouve déterminée par l'expression qu'elle reçoit... la forme de la pensée est configurée par la structure de la langue. » La liste des citations pourrait être longue, groupant des auteurs de tendances et de pratiques fort diverses, mais d'accord sur ce déterminisme linguistique (Cassirer, Korzybski, Carnap, etc.).

Le point de vue behavioriste va aussi dans ce sens, dans la mesure où il réduit justement la « pensée » aux phénomènes physiologiques, médiateurs entre les stimulations et les réponses, et où la conscience, pensée verbalisable, est assimilable à un langage intériorisé : Watson considérait la pensée comme une activité des mécanismes laryngés, un « discours infra-vocal » ou « implicite ».

Depuis, Skinner a développé une théorie du langage en termes d'apprentissage opérant, tandis que des chercheurs comme Osgood ont proposé des schémas « médiationnistes » pour expliquer, en termes de stimulus-réponse, les processus de signification. On pourrait dire qu'avec différentes nuances, ces auteurs sont convaincus que les liens entre les mots et leurs significations sont des liens probabilistes, déterminés par la fréquence des associations et par leur renforcement, tout comme les conditionnements opérants effectués avec des animaux au laboratoire, et la pensée reste bien conçue comme un comportement verbal intériorisé.

Mais dès lors, si langage et pensée sont étroitement liés, au point même de pouvoir être confondus, la psychologie n'est-elle qu'un chapitre de la linguistique ou vice versa?

C'est ce qu'admet dans *Language and Mind* (1968) le linguiste Noam Chomsky, en s'inspirant de la tradition des grammairiens de Port-Royal.

Pour lui, le langage est expression de la pensée, il est l'aspect matérialisé d'une « structure superficielle », elle-même élaborée à partir d'une « structure profonde », reliée à la signification. La structure superficielle est reliée à la structure profonde par certaines opérations mentales que l'on appellera « transformations grammaticales ».

D'autre part, on distinguera la *performance linguistique* de la *compétence linguistique*.

La performance se concrétise par les énoncés dont la substance superficielle ne peut être comprise qu'en référence à la structure profonde, selon une logique rigoureuse qui implique une compétence interne. Or, cette compétence grammairienne est assimilée à partir des expériences quotidiennes que le sujet peut avoir avec son milieu. Mais l'acquisition même de cette grammaire particulière suppose l'existence d'une compétence génétique sous forme de grammaire universelle qui permet de traiter d'emblée le matériel linguistique selon certaines lois.

L'étude de tous ces aspects correspond à l'étude de la nature des capacités intellectuelles humaines, et « la linguistique ainsi caractérisée, dit Chomsky, est simplement le domaine de la psychologie qui s'occupe de ces aspects de l'esprit ».

Pour Chomsky, donc, le langage fait partie de la pensée à laquelle il est étroitement lié en profondeur, et qu'il extériorise selon des prédispositions *innées* sous forme de performances parolières.

Notons aussi que, pour lui, le langage est sans discussion possible réduit à la langue dans ses aspects voco-acoustiques (résultant de l'activité du « locuteur-auditeur » idéal) ; que ce langage est expression de la pensée (et non instrument de la communication) ; qu'enfin le propos du linguiste (psychologue de fait) est de préciser les mécanismes cognitifs innés qui sous-tendent le langage, c'est-à-dire la production, la compréhension, la mémorisation et la reconnaissance du matériau linguistique. Autrement dit encore, le propos du linguiste-psychologue est d'étudier la « compétence linguistique ».

Dans cette voie cependant, le psychologue Jean Piaget[1] l'avait précédé, aboutissant à des conceptions assez différentes sur quelques points fondamentaux. En particulier, il estimait que :

a) les « opérations intellectuelles » ont leur racine dans les

---

1. J. Piaget avait lui aussi écrit un *Le langage et la pensée* en... 1924 !

schémas sensori-moteurs et dans les coordinations de l'action, et que ces racines sont antérieures au langage et indépendantes de lui (tandis qu'à l'inverse, le langage les utilisera);

b) la formation de la pensée est liée à l'acquisition de la fonction sémiotique en général, et non pas à l'acquisition du langage comme tel.

Pour Piaget, l'organisme est un système actif d'adaptation, qui « assimile » certaines informations du milieu, et, en retour, s'y « accommode » selon un processus vital général d'autorégulation. Parmi les mécanismes permettant ces processus de maîtrise et d'ajustement au milieu, se sont développées particulièrement chez l'homme des structures cognitives qui sont les conditions nécessaires à l'apparition et au développement du langage. Ainsi la conception de Piaget est souvent qualifiée d'interactionniste et de constructiviste : c'est par une dialectique continue avec son milieu que l'individu va organiser son système de relations et s'organiser lui-même, en passant par une série d'étapes successives d'équilibre, chaque étape s'intégrant dans l'étape suivante qui la dépasse. Dans cette conception, le langage est étroitement tributaire du développement des processus cognitifs généraux de l'individu. La théorie piagétienne est proche de la conception de l'épigenèse interactionnelle développée plus loin; elle diffère de celle de Chomsky sur deux points fondamentaux: alors que, pour Chomsky, le langage est un « organe » autonome et génétiquement préformé, pour Piaget, le langage est lié à l'évolution cognitive générale et résulte d'une construction progressive.

On voit donc, chez Piaget, apparaître des distinctions justifiées entre le langage, les processus cognitifs qu'il implique, et la pensée avec le problème des représentations mentales (liées à l'activité sémiotique).

Complétons cette courte revue des idées par un auteur souvent omis dans ce genre de discussion, S. Freud, bien qu'il ait proposé un modèle plus général que la plupart des autres, et qu'il ait introduit quelques nouvelles notions, aujourd'hui difficilement contournables : telles celles d'inconscient et de conscient.

Pour Freud, le conscient est le *verbalisable*. On retrouve donc à ce niveau l'idée du lien étroit entre la pensée et la parole. Mais le verbalisable correspond à l'utilisation des « représentations de mots ». Ces représentations de mots étant elles-mêmes liées à des « représentations de choses » (on retrouve une dichotomie qui rappelle le Signifiant/Signifié de Saussure). Le conscient (ou la pensée consciente) est donc le théâtre de représentations multiples, qui ont la propriété d'être dicibles, c'est-à-dire associées à des représentations de mots et traduites en paroles. Cependant, Freud introduit ici quelques autres concepts importants. Il existe des représentations de choses qui ne peuvent être raccrochées à des mots. Elles seront donc inconscientes (ce sera d'ailleurs l'objet de la cure de les relier à des mots et de les rendre ainsi conscientes).

D'autre part, toutes les représentations conscientes possibles ne sont pas forcément présentes à tout moment. Il faut pour cela qu'elles soient « investies », c'est-à-dire réveillées par un intérêt quelconque (soit d'origine interne, soit d'origine externe) : c'est ici que le système pulsionnel et les affects entrent en scène. Les représentations sont stockées dans le système « préconscient » : elles seront mobilisées selon les investissements du moment et pourront alors devenir conscientes par leur verbalisation possible.

On trouve donc chez Freud un certain nombre de notions qui permettent d'esquisser des réponses là où les schémas antérieurs restaient très insuffisants ou muets.

Questions et perspectives critiques

L'idée qu'il n'y a pas de pensée sans langage n'est plus viable aujourd'hui. La « pensée » est faite de représentations diverses (images mentales de nature variée, associations sensorielles, impressions kinesthésiques, etc.). C'est la pensée « imagée », elle coexiste avec des représentations de mots, des segments de phrases, et peut ainsi prendre l'allure (mais non obligatoirement) de « langage interne ». Les mots jouant ici le rôle d'« instruments ».

Le développement de cette pensée et son déroulement temporel seront reliés à l'éclairage affectif permanent en provenance des mouvements pulsionnels (ou « motivationnels ») et des associations sémantiques, lexicales et syntaxiques offertes par la langue et l'expérience individuelle de celle-ci.

C'est à partir de cela que le langage externe pourra se réaliser.

Cependant deux questions restent ouvertes.

a) Nous avons antérieurement établi que le langage, tel qu'on le définit aujourd'hui, dépasse le cadre restreint de la langue (des « représentations de mots »). La Voix et les Gestes fournissent aussi des signifiants : les unités langagières ne sont pas limitées à la parole. Il conviendra donc de faire une place, à côté des représentations de mots, à des représentations d'autres types; cela élargit les possibilités de la conscience, et, corollairement, cela élargit aussi les perspectives psychothérapiques à l'utilisation d'autres modalités que les modalités strictement verbales antérieures.

b) Le langage est expression de la pensée (d'après tout ce qui précède, expression très partielle pour un grand nombre de raisons), mais aussi et surtout instrument de communication et d'interaction, et cette dimension reste le plus souvent absente dans les diverses théories précédentes.

On la trouvait cependant en germe dans les premiers auteurs du mouvement interactionniste, avec l'« interactionnisme social » chez Vygotsky et l'« interactionnisme symbolique » chez G.H. Mead (dès les années 1930...).

Pour Vygotsky, l'activité humaine s'exerce dans un cadre social, et se réalise au moyen d'instruments, au rang desquels les signes verbaux jouent un rôle primordial. La pensée consciente résulte de l'intériorisation progressive de ces instruments qui vont ainsi participer à la régulation des fonctions psychiques. Ainsi le langage externe se complétera par le langage interne, avec son reflet dans le langage privé (ou égocentrique).

Ainsi les instruments de coopération sociale deviendront aussi des moyens de contact avec soi-même. (Cependant, pour

Vygotsky, langage externe et langage interne ont des structures différentes, et le langage privé est apparenté au langage interne qu'il a précédé; le langage intérieur fonctionnant comme un brouillon du langage externe.)

Pour Mead, la conscience apparaît avec le monologue intérieur. Or, celui-ci est lié à la possibilité de s'adresser à soi-même comme à un autre. Aussi, au cours du développement, le monologue succède au dialogue et suppose la mise en place de processus d'identification et de décentration complexes.

On voit ici apparaître une autre distinction nécessaire entre la conscience réfléchie et la conscience comme « présence à » (il manque en français un mot pour traduire les mots anglais « awareness » et « consciousness »).

Cela nous amène à terminer ce chapitre en évoquant la question importante du processus d'identification. L'enfant doit en effet, au cours de son développement, intérioriser les « instruments » et les « codes » de son milieu social, et l'assimilation du code linguistique en est un exemple évident ; mais il doit aussi être très vite un partenaire social efficace, ce qui implique, comme nous l'avons vu, la possibilité d'apprécier en permanence la relation avec autrui (m'écoute-t-il? me comprend-il? qu'en pense-t-il?). Ce copilotage mutuel sera en grande partie possible grâce au système des signaux régulateurs et synchronisateurs, mais aussi grâce aux capacités d'identification affective, basées principalement sur les mimiques faciales (mais aussi sur la voix et la posture) (cf. le problème de l'accordage affectif envisagé précédemment).

Langage interne et langage externe seront donc tributaires

d'un faisceau de paramètres, parmi lesquels ceux de l'interraction jouent un rôle considéré comme de plus en plus complexe et décisif, et l'opposition *inter*-individuel versus *intra*-individuel apparaît quelque peu artificielle.

* Le schéma très sommaire, dit de l'« activité énonciative », représente quelques aspects des questions abordées dans les pages précédentes.

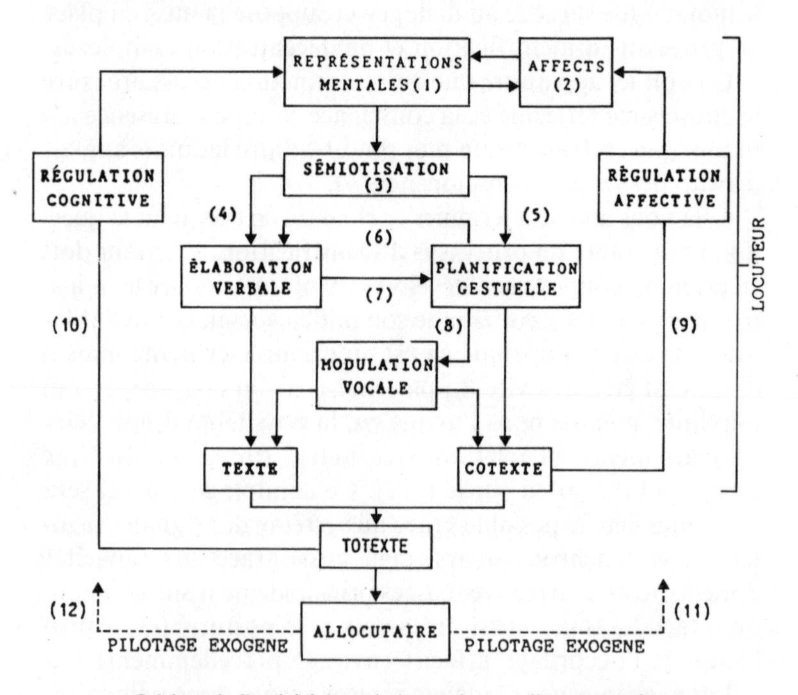

Schéma de l'activité énonciative et de son pilotage exogène

Épigenèse interactionnelle et développement de la communication

Les considérations précédentes invitent à donner quelques précisions sur l'apparition et le développement du langage et de la communication dans l'espèce humaine. Nous ferons à ce sujet quelques propositions qui paraissent émerger des nombreux travaux actuels.

1. Le nouveau-né est compétent

Le nouveau-né n'est plus la monade isolée, la « tabula rasa » d'autrefois. Il naît avec une compétence génétique qui lui permet de traiter d'emblée les informations selon certaines règles.

Tous les systèmes biologiques se développent selon un processus dynamique d'auto-organisation en déséquilibre permanent, dirigé par l'apparition de structures nouvelles, induites par les structures préexistantes. Par un jeu d'interactions réciproques, ces structures donnent naissance à de nouvelles structures de plus en plus complexes. Ce principe d'auto-organisation décrit sous le nom d'*épigenèse*, dirige le développement de l'embryon, puis de l'enfant. Des auteurs comme Bower, Trevarthen et d'autres, ont ainsi établi que les différentes étapes du développement sont à la fois préfonctionnelles et génératrices. Sans expérience préalable, l'enfant très précocement possède la capacité de percevoir certains caractères des objets, de les situer dans l'espace ; il ébauche à leur égard des mouvements de défense ou d'agrippement. La coordination œil-main reposerait sur des structures innées fondamentales. Des expériences récentes ont mis en évidence des capacités, jusqu'ici insoupçonnées, du nourrisson pour distinguer les sons, les odeurs, les couleurs, et même, semble-t-il, pour imiter certains gestes des adultes (tirer la langue par exemple). Ainsi *le développement de la compétence précède l'apparition des performances* : la mise en place des structures est une condition d'existence des fonctions. Cependant, en sens inverse, en particulier en ce qui concerne les systèmes perceptivo-moteurs, *l'usage fonctionnel est nécessaire au maintien de la structure et, donc, à la poursuite de son développement*. On a ainsi pu démontrer que les structures visuelles en place à la naissance régressent par défaut d'usage, et, par contre, orientent leur développement sous l'influence des configurations environnementales.

2. L'apprentissage de la conversation précède l'apprentissage du langage

La compétence précoce du nourrisson le rend donc capable de discriminer rapidement certaines informations émises par les êtres humains qui l'entourent, en premier lieu leur présence. Cette perception provoque chez lui un ensemble d'activités : orientation de la tête, des yeux, mouvements des lèvres, des membres ; ces activités, bien que labiles et relativement asynergiques dans les tout premiers mois, sont captées et interprétées par la mère, qui va leur répondre par des mouvements, des contacts et des émissions sonores, auxquels le nourrisson va à son tour « répondre » ; ainsi s'établit une chaîne d'interactions qui préfigurent la pragmatique conversationnelle.

Le comportement de la mère est un facteur important dans l'expression complète des capacités de communication de l'enfant âgé de 2 à 3 mois, et généralement on observe une adaptation inconsciente de l'adulte, qui adopte des mouvements plus lents, plus rythmés, et modifie sa voix.

Les enregistrements vocaux et polygraphiques ou cinématographiques ont ainsi montré une étonnante synchronisation entre mère et enfant. Plusieurs auteurs ont mis ces phénomènes en évidence et ont montré qu'ils sont déjà développés à 2 mois, alors que les processus cognitifs et mnésiques sont encore peu manifestes.

Ainsi *les règles interactionnelles sont enseignées à travers la communication totale* bien avant tout langage parlé, et vont se développer et se préciser tout au long de la première année, fournissant le cadre dans lequel le langage parlé pourra s'insérer.

3. Le langage ne se développe pas sur des bases protophonologiques ou protosyntaxiques, mais comme une « extension spécialisée et conventionnelle de l'action co-opérative »; et cette extension va former un système sémiotique, dont une partie sera (éventuellement) linguistique

L'enracinement du langage dans le cadre pragmatique a déjà été indiqué dans le paragraphe précédent ; mais c'est à J.S. Bruner que l'on doit des précisions sur ses modalités.

Cet auteur, par une étude éthologique des interactions mère-enfant, a montré comment les racines du langage étaient liées à l'action : c'est en effet l'action qui permet la segmentation des actes, la différenciation des actants, la focalisation de l'attention sur l'objet et sa différenciation, l'interprétation affective des mimiques et des gestes, et de l'intonation ; et c'est l'action qui permet aussi, par la gratification des échanges, de valoriser la communication pour elle-même.

Or, les interactions mère-enfant ne se déroulent pas de façon aléatoire, mais selon une certaine « systématicité » qui permet l'apprentissage de structures d'action d'où sortiront, par analogie, les règles grammaticales futures.

La communication précoce, pour être efficace, adopte très tôt des procédures conventionnelles afin de réaliser différentes fonctions, ce qui a permis à Bruner de décrire quelques « formats » de base. Un format étant défini comme un type particulier de tâche, dans lequel sont engagés un adulte et un enfant, et pour lequel l'activité communicationnelle est nécessaire.

Parmi les formats types, cet auteur décrit :

— l'attention conjointe (« *joint attend* ») : attirer l'attention de l'autre sur un objet ou une activité;

— la coaction (« *object interaction* ») : agir ensemble sur un objet;

— les rites d'interaction (« *social interactions* ») : salutations, séparations, prises de contact, etc.;

— les simulacres (« *pretend episodes* ») : épisodes au cours desquels un objet ou une action n'est pas utilisé littéralement.

La mère joue un rôle important dans la mise en place de l'évolution des formats, en interprétant l'intention du bébé et en interprétant et anticipant son attention. Ainsi, c'est elle qui, au début, permettra l'apparition du format d'attention conjointe, en anticipant sur le désir ou l'attention de l'enfant; et de même pour la coaction sur l'objet. On peut dire, en empruntant l'expression à l'éthologie, que la mère, par son comportement, va *sémantiser* les comportements de l'enfant et les *systématiser* (ritualiser).

Ainsi l'enfant acquerra-t-il des procédures efficaces pour montrer, demander, appeler, etc. et deviendra capable d'interpréter à son tour les actions d'autrui.

Ces procédures prélinguistiques servent à accomplir la plupart des fonctions de la communication dont on peut observer la chronologie : expressive dans les premiers mois, conative et phatique entre 8 et 10 mois, puis heuristique (ou métacommunicative) et représentative entre 16 et 18 mois. Les procédures des trois premières sont acquises, comme nous l'avons vu, par les processus de *ritualisation* et de sémantisation ; mais les deux dernières, qui supposent l'acquisition de la fonction sémiotique, nécessitent une autre faculté de *décontextualisation*. C'est en effet en utilisant des gestes, mimiques, intonations, vocalisations hors contexte, que les situations et les objets absents pourront être évoqués, et que la fonction sémiotique deviendra explicite.

C'est, en fait, à cette époque de la vie que le langage parlé développera son arbitrarité, permettant une expansion rapide de la décontextualisation.

4. Le concept d'« épigenèse interactionnelle » *paraît actuellement être le plus approprié pour rendre compte de l'ensemble des faits précédents.*

J'ai mentionné plus haut le principe d'auto-organisation interne qui permet le développement de l'embryon et qui est connu depuis le début du siècle sous le nom d'*épigenèse*.

Ce concept s'est condisérablement précisé avec les progrès de l'embryologie causale. L'œuf naît avec ses potentialités, offertes par son code génétique, qui constitue la compétence cellulaire de base. Mais le développement de l'organisme est le résultat d'une multitude de performances assurées par chacune des cellules-filles, sous l'influence des cellules voisines, grâce à l'intermédiaire de molécules chimiques. Certains groupes cellulaires seront ainsi des « organisateurs » dont la présence induira sur les tissus voisins (à condition qu'ils en aient la compétence) une différenciation spécifique. Une fois différenciés, ces tissus seront à leur tour capables d'induction rétroactive sur les précédents, etc.

Si l'on transplante un greffon, prélevé sur une gastrula d'amphibien au stade moyen, et qui doit donner normalement du tissu axial, sur une autre gastrula au stade jeune, en un endroit destiné normalement à donner de l'épiderme, on fera apparaître un système axial supplémentaire : avec chorde et nouveau système nerveux. (Mais la même expérience sur un embryon plus âgé ne provoquera rien.) Il serait facile de donner d'autres exemples aujourd'hui nombreux. Retenons simplement les notions d'*organisateurs*, d'*induction* et de *période sensible*, qui expliquent le processus d'épigenèse grâce auquel se construit le *phénotype somatique*.

Il est évident que ce processus va continuer après la naissance, le développement somatique étant encore loin d'être terminé, et l'on sait l'importance, entre autres, des organisateurs endocriniens avec l'hormone somatotrope et les hormones gonadotropes.

Mais après la naissance, l'ontogenèse somatique se double d'une *ontogenèse comportementale*, et le modèle explicatif, utilisé en embryologie causale somatique, paraît être valable pour l'étude de l'ontogenèse comportementale.

C'est R. Spitz qui en eut le premier l'idée, décrivant des périodes critiques : 3 mois, 8 mois, 15 mois, avec des organisateurs : le sourire, l'angoisse à l'étranger, le non.

En fait, on peut aujourd'hui aller plus loin que Spitz. Nous l'avons vu dès la naissance, les structures anatomo-physiologiques des systèmes relationnels présentent un certain niveau de compétence. Si l'induction se produit, des performances spécifiques vont se révéler qui, à leur tour, permettront l'évolution, etc. Mais ici, on doit souligner un point capital : les *organisateurs sont essentiellement environnementaux*, et l'induction se fait par la médiation des systèmes relationnels. Le fait que le nouveau-né soit compétent n'empêche pas que la révélation de cette compétence et son organisation performancielle soient modalisées par les activités maternelles (et bien sûr les autres êtres humains qui l'entourent).

Activités elles-mêmes induites par les performances infantiles. En accord avec sa compétence, l'enfant reçoit et émet des signaux qui vont, à leur tour, provoquer et organiser les réactions de la mère, lesquelles vont provoquer et organiser les réactions de l'enfant.

C'est sur cette matrice de communication non verbale que le langage verbal du jeune enfant apparaîtra, lié par conséquent aux actes communicatifs précoces. D'où le terme d'*épigenèse interactionnelle* pour désigner ce processus ontogénétique du phénotype comportemental.

La « compétence du nourrisson », « l'interaction mère-enfant » et « l'épigenèse interactionnelle » qui en résulte, tout en restant dans la filiation des travaux classiques de H. Wallon et J. Piaget, constituent des perspectives nouvelles qui permettent enfin de dépasser le sempiternel débat de l'inné et de l'acquis qui avait faussé bien des discussions sur ce sujet.

5.

VOISINAGE SCIENTIFIQUE

Il est classique de dire que la psychologie se situe aux confins de la biologie d'une part, de la sociologie de l'autre. Ayant, dans les pages précédentes, essayé de présenter la psychologie, il convient de la situer par rapport à ses deux voisines; car si nous avons dit que la philosophie, sa mère, était souvent abusive, ses deux sœurs, de leur côté, se disputent souvent son affection, voire son identité.

Or, le lecteur a déjà pu percevoir le problème de la psychologie contemporaine, explicité dans les dernières lignes du précédent paragraphe : à savoir celui de l'articulation de l'ordre biologique et de l'ordre linguistique. Comment s'expriment, au niveau individuel, le code génétique, organisateur de la vie, et, chez l'homme, les codes socioculturels, organisateurs de la pensée?

Psychologie et biologie

Les rapports de la psychologie avec la biologie sont innombrables, complexes, et, cependant, parfois contestés : pour certains, la psychologie ne serait qu'un chapitre de la biologie, par la médiation des neurosciences; pour d'autres, au contraire, il y aurait entre elles une différence irréductible.

Une preuve en est fournie dans la difficulté de placer la psychologie dans les départements du C.N.R.S. : « science de la vie »? ou « sciences de l'homme et de la société »? La réponse a été donnée, pour le malheur de la psychologie, en la situant dans les sciences de la vie, ce qui a tristement stérilisé, en France, pendant des années, le développement de certains de ses secteurs importants. (Mais la constatation précédente serait, sans doute, encore vraie si, *a contrario*, la psychologie avait été située dans les sciences de la société..., le problème étant qu'elle appartient à la fois aux deux catégories, et que la réduire à une seule et exclusive parenté ne peut que la mutiler de façon désastreuse.)

La situation est d'ailleurs aggravée du fait que, par un raisonnement des plus simplistes, psychisme et cerveau ne font qu'un; la biologie, dont il est alors question, est évidemment la neurobiologie. Effectivement, nous avons à diverses reprises signalé quelques aspects de ces rapports « privilégiés » qu'entretient la psychologie avec la neurobiologie, particulièrement dans la perspective d'une psychologie de la compétence. Mais nous avons aussi suffisamment indiqué qu'un autre type de psychologie était non seulement concevable, mais aussi nécessaire (en particulier, pour les praticiens), et que cette psychologie était heureusement aujourd'hui en pleine expansion, en dépit des positions réductrices encore vivaces; car les besoins de la psychocommunicologie ne sauraient, à l'évidence, être satisfaits (sinon très partiellement) par les neurosciences. Ceci amène à dissiper un préjugé tenace qui a consisté, pendant longtemps, à croire que la biologie des psychologues était pourvue par les « neurosciences ».

La question, en cette fin du XXe siècle, n'est plus de savoir si la « pensée » a des rapports matériels avec le cerveau. Il y a maintenant plus de cinquante ans que cette trivialité est admise.

Mais, pour reprendre la métaphore de la télévision, si la connaissance technique du fonctionnement d'un téléviseur nous permet d'expliquer l'apparition d'images sur l'écran, de remédier parfois à leur mauvaise qualité, ou encore de comprendre pourquoi le Pal, sur un appareil Secam, est en noir et blanc, nous ne pourrons pas pour autant savoir, en aucun cas, quel programme sera accessible tel jour, à telle heure : la « science » des programmes est différente de la « science » des téléviseurs... Appliquée à notre propos, cette métaphore nous indique que, si la pensée est indubitablement le résultat de l'activité cérébrale, il n'empêche que les contenus de cette pensée, ainsi que le sens de ses activités, sont liés à d'autres phénomènes dont la machine cérébrale ne peut rendre compte. En particulier, les rapports dialectiques que l'homme vit avec son milieu, les lois générales auxquelles il est soumis, du fait de son appartenance à ce milieu, à la fois synchroniquement et diachroniquement. De cette « perspective écosystémique », la neurobiologie ne peut rien nous dire, sinon qu'elle en est elle-même dépendante. Ce n'est pas le cerveau qui explique l'écosystème, c'est l'écosystème qui rend compte de l'existence même du cerveau. Autrement dit encore, le cerveau lui-même n'est qu'une partie de l'organisme global, qui lui-même n'est qu'une partie de la communauté vivante, dont les lois de fonctionnement sont de l'ordre, non pas des neurosciences, mais de la biologie générale.

L'étude des lois du développement individuel (ontogenèse) et de l'évolution (phylogenèse), des équilibres biocénotiques, de la dynamique des populations, de la sociologie animale, sont aussi importantes pour comprendre l'homme et son comportement que la biologie du neurone ou de la synapse. De même, au niveau de l'organisme, l'étude des grandes fonctions vitales, de leurs contraintes, des comportements qui leur sont associés, ainsi que les problèmes de génétique, d'immunité, d'interaction et de self cellulaires, sont aussi instructifs et révélateurs que le fait que le rêve s'accompagne de phases électrophysiologiques paradoxales, ou que certaines synapses sécrètent de la sérotonine...

Psychologie et sociologie

L'ordre langagier qui caractérise l'homme est de nature socioculturelle, et l'on comprend la tendance de certains psychologues, plus encore, de certains sociologues, à valoriser exclusivement cet aspect, aux dépens de toute explication biologique, tenue en suspicion. Attitude sans aucun doute rassurante, car la méconnaissance, ou plutôt le déni, des nécessités du code biologique, c'est le déni de la mort, et l'affirmation mégalomaniaque de la toute-puissance de la pensée.

Cependant, un tel radicalisme n'est point nécessaire pour reconnaître l'importance des sciences sociales, particulièrement pour la psychologie actuelle, maintenant que cette dernière a pris pour objet l'étude des communications interindividuelles.

Les terrains de rencontre de la sociologie et de la psychologie seront donc nombreux. Nous en soulignerons deux : l'impact social sur le développement de la personnalité ; le rôle de l'ordre social, qui régit le comportement quotidien des individus.

1. La socialisation de l'individu

Comment la société va-t-elle conditionner l'individu « psychologique », c'est-à-dire porteur et générateur de sens ? En un premier temps, par sa pression au cours de la psychogenèse. Nous avons déjà vu que l'internalisation du code linguistique[1] s'opérait à un âge précoce, par la médiation familiale ; que cette internalisation était étroitement liée à l'édification progressive de la relation objectale, c'est-à-dire à l'apparition successive de la première triangulation : « Moi-Mère-les Autres », puis de la seconde et fondamentale : « Moi-Mère-Père ». Cette séparation progressive des objets permet

1. Au sens où nous l'entendons, c'est-à-dire partie des codes langagiers.

leur hallucination, en cas d'absence, et leur représentation symbolique, liée à l'apparition de la fonction sémiotique. Tout le jeu des identifications, des frustrations et des conflits, structure finalement la compétence idiosyncrasique de l'enfant, étroitement articulée avec ses besoins et sa dynamique biologique. Il est facile de concevoir que le code linguistique, qui sera alors assimilé, dépendra de la valeur qu'il représente dans l'économie familiale elle-même, et de la qualité des relations objectales de la cellule familiale. L'enfant, dans ce système, existe comme signifiant avant même sa naissance, et sa réalisation postnatale, expression du code génétique parental, sera aussi expression de leur code linguistique ; son « patrimoine » sera à la fois biologique et parolier.

Le *code linguistique* socioculturel lui sera donc transmis, en premier lieu, à travers les propres internalisations parentales, et sera donc soumis à leurs vicissitudes : c'est à travers lui que se construira, superposée à la filiation génétique, une filiation psychologique, avec héritage des valeurs et des connotations, voire des mécanismes de défense du microgroupe familial.

Cet impact épigénétique de l'entourage initial de l'enfant est facile à concevoir. Il découle aisément des paragraphes précédents et des observations quotidiennes que chaque lecteur a pu faire lui-même dans son entourage.

Mais si l'action des codes langagiers paraît, à ce niveau, assez spécifiquement psychologique, ils interviennent aussi à un niveau beaucoup plus directement sociologique. Rappelons la thèse whorfienne, soulignant l'importance de l'intériorisation du code linguistique dans le déterminisme qui organise la « vision du monde » commune à tous les usagers d'une langue.

Mais au-delà de l'empreinte familiale et du déterminisme linguistique, se feront aussi des identifications profondes, avec internalisation des modèles pragmatiques et du système de valeurs sociales[1] . Ces identifications, commencées dans la famille, continuées dans le groupe des pairs, seront aujourd'hui considérablement étayées par le bain médiatique (bandes dessinées, cinéma, télévision) auquel est soumis l'enfant.

En utilisant un modèle sémiologique, on pourrait comparer le « système social » à un code dont chaque individu serait une unité signifiante. A ce titre, l'individu pourrait être le sujet d'énoncés dont l'énonciation lui échapperait totalement. Marx, dans ses analyses socio-économiques du déterminisme social, a fait à cet égard un travail de sémiologue et d'herméneuticien, comparable, sur le plan social, à celui de Freud sur le plan psychologique. La notion complexe d'idéologie recouvre assez largement tous ces aspects, et, sous cet angle, l'idéologie pourrait être considérée comme un « inconscient social », mis en place à travers les processus de communication et d'interaction, comme l'est aussi l'inconscient individuel.

---

1. Bien sûr, G. Tarde écrivait, dès 1890, *Les Lois de l'imitation*, et beaucoup serait à dire en évoquant E. Durkheim, G. Simmel, et bien d'autres. Mais notre propos n'est ici que d'inciter le lecteur à d'autres lectures...

2. La microsociologie des interactions quotidiennes

Pour des raisons diverses, on a vu se développer, vers le début des années 70, une anthropologie des pays métropolitains : ethnologie urbaine, particulièrement, avec une attention spéciale aux changements liés aux migrations, aux contacts interethniques, aux conséquences de l'urbanisation galopante...

Dans ces recherches, un accent spécial est mis sur les problèmes relationnels, et la méthode est le plus souvent basée sur l'observation naturaliste et participante.

En fait, cette « nouvelle » anthropologie rejoint des voies ouvertes depuis les années 1920-1930 par les sociologues et psychosociologues de l'université de Chicago.

Park et Burgess, dans leur très populaire *Introduction to the science of sociology* considéraient déjà, en 1921, que la société est un système d'interactions. Elle fonctionne grâce au processus de communication qui permet la transmission des traditions et assure un consensus parmi ses membres, la communication étant le médium de l'interaction. Alors qu'au même moment, dans la même université, le psychosociologue G. Herbert Mead, dans un cours très célèbre, se faisait le promoteur de l'« interactionnisme symbolique ».

Pour lui, la psychologie des comportements sociaux doit s'appuyer sur l'observation naturaliste des échanges individuels symboliques : paroles, mais aussi gestes et postures. Le

« symbolisme » s'acquiert à travers l'interaction : les significations attribuées à chaque acte sont partagées grâce à la capacité de prendre le rôle de l'autre dans la régulation de sa propre conduite : « L'homme est essentiellement un animal preneur de rôles. »

C'est ainsi, dans une filiation déjà ancienne, que s'est développée la « microsociologie[1] », avec laquelle, nous l'avons signalé antérieurement, ont convergé la linguistique pragmatique et la sociolinguistique pour créer une véritable *etho-anthropologie* des interactions quotidiennes. On conçoit donc assez aisément que l'ensemble des nombreux travaux effectués dans ce domaine concerne directement les psychologues des communications.

Citons quelques thèmes devenus classiques :

L'organisation de l'espace transactionnel, avec les études initiales d'E. Hall. Cet auteur, créateur de la « Proxémique » (étude de la façon dont l'homme structure son espace : la distance entre les hommes dans la conduite des interactions, l'organisation de l'espace dans ses maisons, l'arrangement de ses villes...), a permis l'approfondissement des notions d'espace et de territoire, et a défini les distances interpersonnelles (intime, personnelle, sociale, publique). Ces distances, variables selon les cultures, sont choisies en fonction du type de relation et d'interaction. Leur méconnaissance donne lieu

1. Ainsi désigne-t-on la nouvelle anthropologie, parfois aussi utilise-t-on le terme « ethnométhodologie ». Nous ne discuterons pas les nuances sémantiques de ces différents termes, bien qu'elles soient réelles.

à des effets d'invasion et de violation d'espace et de territoire, qui peuvent être la source de graves malentendus.

L'insertion socio-relationnelle qui désigne le système de relation de l'individu. Chaque individu entretient des relations plus ou moins nombreuses et plus ou moins distantes. La « pénétration sociale » (Altman et Taylor) correspond à la qualité et à la quantité des interactions d'un individu et de son environnement social; elle est caractérisée par la « profondeur » des relations (de la relation avec un anonyme, en passant par les relations de rôles, jusqu'aux relations avec les familiers) et par la « largeur » des relations (qui désigne le nombre de relations que l'individu entretient avec son milieu). Ce qui débouche sur l'étude des réseaux « égocentrés », hautement significatifs du degré et du style de socialité d'un individu.

Chaque type de relation obéit à des prescriptions et des proscriptions spécifiques, qui varient selon les cultures.

« *Les rites d'interaction* » *et* « *la mise en scène de la vie quotidienne* » : deux expressions qui sont en réalité les titres de deux ouvrages d'Erving Goffman, sociologue dont l'œuvre est des plus représentatives de l'étho-microsociologie contemporaine.

L'être humain passe ses journées à parcourir un certain nombre de « sites » socialement caractérisés par une dénomination, un cadre physique, des règles d'usage, une finalité[1],

---

1. Finalité et règles d'usage se traduisent dans un « script » propre à chaque site.

un public (usagers, résidents)... Il doit ainsi posséder une compétence communicative qui lui permette, grâce à la connaissance des scripts, de jouer efficacement son rôle, c'est-à-dire de choisir les bonnes stratégies d'interaction à travers les différents sites et en rapport avec les différents types de partenaires. Citons pour les sites français : le restaurant, le repas familial, le cabinet médical, le taxi, la rue, l'épicerie, le bureau de tabac, la boulangerie, l'atelier, etc.

Dans ces interactions, l'individu doit tenir son rôle selon une mise en scène rigoureuse. De nombreux rituels sont prévus pour assurer le bon déroulement des actions et protéger la « face » de chacun.

L'étude des sites, de leurs scripts et des comportements qui s'y déroulent, présente un grand intérêt, car il existe entre eux des variations culturelles, souvent très importantes, et, comme il est aisé de l'imaginer, les lacunes qui peuvent en résulter dans les compétences communicatives sont à la source de malentendus nombreux, parfois graves à une époque de migrations, de déplacements de populations, et de rencontres interculturelles fréquentes (tourisme, négociations diverses...).

L'appoint des documents audiovisuels peut être ici d'un grand secours pour l'amélioration de la compréhension dans les populations multiculturelles et les situations interculturelles.

Ces quelques aperçus du champ microsociologique contemporain sont sans doute suffisants pour faire ressortir l'importance des conditionnements sociaux dans les moindres détails de l'ordonnancement et du déroulement des interactions quotidiennes. Or, la connaissance de ces processus est importante, évidemment pour le psychosociologue, mais aussi pour le clinicien ; car, si la psychopathologie se révèle essentiellement dans les anomalies du comportement, ces anomalies ne sont perçues que dans les défaillances du sujet à manifester une compétence communicative adéquate. Or, ceci peut être lié, soit à des problèmes de nature socioculturelle, soit à des problèmes de psychogenèse plus individuels.

D'autre part, le psychologue lui-même est l'agent et l'expression de codes socioculturels divers (langue, réseaux et structures institutionnels, idéologie...), qui sont des facteurs organisateurs de ses propres perceptions, de ses conduites et de ses réactions affectives intimes.

Pour être au clair avec lui-même, il ne lui suffira donc pas de savoir comment s'est résolu son Œdipe[1], mais aussi d'avoir une idée de son insertion sociale, et de se poser périodiquement quelques questions sur la signification sociale (et microsociale) de son travail, de ses opinions, de ses attitudes. Les prochains chapitres reviendront sur cet aspect.

1. Bien que cela soit certainement fondamental.

BIBLIOGRAPHIE

Comme il est facile de le comprendre, il ne saurait être question ici de donner une bibliographie, même « sommaire », des sujets multiples abordés dans cette première partie. Les titres suivants sont donc indiqués en guise d'introduction pour le lecteur qui désirerait, par lui-même, approfondir certains aspects du sujet. Dans cette optique seront cités de préférence des documents récents, rédigés en français, de portée générale, et faciles à trouver en librairie.

a) Généralités - Histoire

Benoît J.C., Malarewicz J.A., Beaujean J., Colas Y., Kannas S. : *Dictionnaire clinique des thérapies familiales systémiques*. E.S.F., 1988.

Bergeret J. et coll. : *Abrégé de psychologie pathologique*, Masson, 1972.

Canestelli L., Chauvin R., Colle J., Fraisse F., Klineberg O., Musatti C., Zazzo R. : *Le Comportement*, P.U.F., 1968.

Fraisse P., Piaget J. : *Traité de psychologie expérimentale*, P.U.F., 1963 (en particulier le fascicule I : « Histoire et Méthodes »).
Guillaumin J. : *La Dynamique de l'examen psychologique*, Dunod, 1965.
Jones E. : *La Vie et l'œuvre de Freud*, P.U.F., 1958-1969.
Moscovici S. et coll. : *Psychologie sociale*, P.U.F., 1984.
Politzer G. : *Critique des fondements de la psychologie*, P.U.F., 1967.
Reuchlin M. : *Psychologie*, P.U.F., 1977.
Richelle M., Droz R. : *Manuel de psychologie*, Dessart et Mardaga, 1976.

b) Linguistique - Psycholinguistique

Bachman C., Lindenfeld J., Simonin J. : *Langage et communications sociales*, Hatier, 1981.
Barthes R. : *Éléments de sémiologie*, in *Communications*, n° 4, 1964, Éd. Seuil.
Berrendonner A., Cosnier J., Coulon J., Kerbrat-Orecchioni C. : *Les Voies du langage*, Dunod, 1981.
Bronckart J.-P. : *Théories du langage*, Mardaga, 1977.
Chomsky N. : *Le Langage et la pensée*, Payot, 1970.
François F. et coll. : *Linguistique*, P.U.F., 1980.
Kerbrat-Orecchioni C. : *L'Implicite*, Armand Colin, 1986.
Piaget-Chomsky : *Théories du langage, théories de l'apprentissage : le débat*, Seuil, 1979.

c) Éthologie - Biologie

Campan R. : *L'Animal et son univers*, Privat, 1980.
Changeux J.-P. : *L'Homme neuronal*, Fayard, 1983.
Chauvin R. *L'Éthologie*, P.U.F., 1975.
Cosnier J. : *Les Névroses expérimentales*, Seuil, 1966.
Cyrulnik B. : *Mémoire de singe et paroles d'homme*, Hachette, 1983.
Czyba J.-C., Cosnier J., Girod C., Laurent J.-L. : *Ontogenèse de sexualité humaine*, S.I.M.E.P., 1973.
Feyereisen P., de Lannoy J. : *La Psychologie du geste*, Delachaux et Niestlé, 1985.
Guyomarch J.-C. : *Éthologie*, Masson, 1980.
Lorenz K. : *L'Agression*, Flammarion, 1969.
Lwoff : *L'Ordre biologique*, Laffont, 1969.
Montagner H. : *L'Enfant et la communication*, Stock, 1978.
Richard G. : *Les Comportements instinctifs*, P.U.F., 1975.
Ruwett J.-C. : *Éthologie : biologie du comportement*, Dessart, 1969.
Tinbergen N. : *La Vie sociale des animaux*, Payot, 1967.
Viaud G., Kayser C., Klein M., Medioni M. : *Traité de psychophysiologie*, P.U.F., 1967.

Revue : *L'Éthologie humaine* in *Psychologie médicale*, n° 11, 1977.

d) Éthoanthropologie - Communicologie

Cosnier J., Brossard A. (éditeurs) : *La Communication non verbale*, Delachaux et Niestlé, 1984.

Ghiglione R. : *L'Homme communicant*, Armand Colin, 1986.

Goffman E. : *La Mise en scène de la vie quotidienne*, Minuit, 1973.

Hall E. : *La Dimension cachée*, Seuil, 1971.

Noizet G., Bélanger D., Bresson F. (éditeurs) : *La Communication*, P.U.F., 1985.

Picard D. : *Du code au désir*, Dunod, 1983.

Watzlawick P., Helmick-Beavin J., Jackson D. : *Une logique de la communication*, Seuil, 1972.

Winkin Y. (éditeur) : *La Nouvelle Communication*, Seuil, 1981.

e) Certains paragraphes se sont très directement inspirés des trois articles suivants :

Cosnier J. : *Théories de la communication et psychiatrie*, Encyclopédie médico-chirurgicale, T. Psychiatrie, 37010A10-2, 1981.

Cosnier J. : *Approche éthologique*, in *Précis de psychiatrie de l'adulte* sous la direction de Deniker, Lempérière, Guyotat, Masson, 1988.

Cosnier J. : *L'Évolution du statut du langage et ses conséquences pour la psychologie*, in A. Touati (éditeur), *Communication*, numéro hors série du *Journal des psychologues*, 1987.

DEUXIÈME PARTIE

La pratique psychologique

1.

LA PSYCHOLOGIE : UN MÉTIER

La communauté des psychologues

Si la psychologie est difficile à définir comme science, il n'en reste pas moins qu'elle existe en 1988 autrement que comme une « éristique », et qu'un certain nombre de praticiens se réclament d'elle pour se dénommer, trouver du travail et s'insérer dans le circuit socio-économique autrement qu'en l'enseignant à l'Université. Cependant, la diversité d'exercice de ces praticiens, l'hétérogénéité de leur formation, de leurs conceptions et de leurs références théoriques, font que l'on peut se poser à leur sujet la question : représentent-ils un métier ou des métiers ? et même, comme le titre d'un ouvrage récent de M. Richelle le déclarait : « Pourquoi les psychologues ? »

On pourrait, pour les classer, utiliser le partage en six sections de la Société française de psychologie :

Psychologie de l'enfant ; psychologie du travail ; psychologie clinique ; psychologie sociale ; psychophysiologie ; psychologie expérimentale.

Mais cette classification, qui n'a de justification que de renforcer des étiquettes (voire des territoires) universitaires, semble être plus académique que professionnelle. Aussi envisagerons-nous, tout en ayant parfaitement conscience de l'arbitraire d'un tel choix, une présentation selon le milieu d'action :

• La santé publique : le psychologue clinicien;

• l'industrie et le monde du travail : le psychologue du travail;

• l'éducation nationale : le psychologue scolaire et le conseiller d'orientation scolaire et professionnelle.

Le psychologue clinicien

Définir la psychologie clinique n'est pas aisé. « Étude approfondie des cas individuels » (H. Pieron); « science de la conduite humaine fondée principalement sur l'observation et l'analyse approfondie des cas individuels, aussi bien normaux que pathologiques, et pouvant s'étendre à celle des groupes » (D. Lagache); « étude de l'individu en situation et en évolution » (J. Favez-Boutonnier et D. Anzieu).

Elle est proche, par sa nature, ses méthodes, son objet, de la psychopathologie et de la psychologie médicale, qui ont tendance à nier son autonomie, tandis qu'à un autre pôle, la psychologie « expérimentale », qui se prend volontiers pour plus scientifique, lui reproche de n'être qu'une pratique assez empirique, parent pauvre et un tantinet attardé de la psychologie scientifique.

Mais, Cendrillon de la psychologie comme science, elle se présente bien différemment sur le plan du métier, car plus de 50 % des psychologues sont aujourd'hui des « psychologues cliniciens » que P. Fraisse définit ainsi : « Psychologues appelés à travailler en collaboration avec des médecins, dans les différents hôpitaux, dans les consultations d'hygiène mentale et dans les services psychopédagogiques. »

Leur travail est très variable selon leur statut (salariés à temps partiel, payés à la vacation, cas fréquent, ou à temps plein, avec un salaire aligné sur ceux des professeurs du secondaire, ou en cabinet libéral) et selon la demande de leur entourage.

La situation type est celle du psychologue qui participe à une consultation psychiatrique ou médico-psychologique, où il travaille en équipe. Dans cette équipe, il lui sera souvent dévolu ce que D. Lagache a appelé « l'examen psychologique armé », c'est-à-dire l'examen « testologique », tandis que le médecin, généralement psychiatre, procédera à l'examen somatique et à un entretien plus ou moins long (ou plus ou moins bref), anamnestique et directif. Puis « la synthèse » sera faite, à laquelle se joindront éventuellement les résultats de l'enquête sociale et des examens de laboratoire spéciaux : radiographie, électro-encéphalographie, etc. De cette synthèse découleront un « diagnostic » et une « décision » thérapeutique. Le psychologue aura donc une fonction « testologique ». Il n'y a pas lieu d'insister longuement sur la méthode des tests dont nous avons déjà parlé antérieurement quant à son modèle behavioriste implicite.

Situation et tendance actuelles

En fait, si le tableau évoqué ci-dessus peut encore s'observer en maints endroits, la situation a subi, ces dernières années, une mutation profonde, et cela sous l'influence convergente de plusieurs facteurs.

J'en énumérerai quelques-uns :

a) *L'insatisfaction des psychologues.* Bien que de formation assez hétérogène, la plupart des psychologues, aujourd'hui cliniciens, possèdent une maîtrise, c'est-à-dire au moins quatre années d'études supérieures complétées par un D.E.S.S.[1], ce qui ajoute encore une année d'études. Or, l'activité telle que je l'ai décrite plus haut, si elle présente quelque piment pour le néophyte, ne tarde pas à devenir stéréotypée, et le praticien a l'impression d'être une machine à faire passer des tests, un « opérateur », qualifié certes, mais justement trop qualifié pour se satisfaire à vie de cette pratique.

b) *La déception épistémologique*, en partie cause de la précédente. Les tests de personnalité, plus ou moins teintés de concepts psychanalytiques ou de « psychologie des profondeurs », ont eu au départ leur allure de mystère, et l'on a pu croire qu'ils allaient fournir à leurs utilisateurs des clefs donnant accès au monde abyssal de l'inconscient... Mais beau-

1. Diplôme d'Études Supérieures Spécialisées.

coup, avec le recul de plusieurs années de pratique, se demandent aujourd'hui s'il en est bien ainsi. Certes, l'apport diagnostique n'est pas négligeable; cette « clinique armée » permet de recueillir, de provoquer plutôt, quelques éléments intéressants pour un examen temporellement limité. Cependant, un entretien sans test ne permettrait-il pas, dans de nombreux cas, d'obtenir le même résultat ?

Il apparaît en effet que les tests donnent des informations peu différentes, dans leur nature, de celles recueillies au cours d'un examen par un bon clinicien.

Mieux, si l'on reprend l'étude systématique des comptes rendus proposés dans les ouvrages didactiques, sur le test de Rorschach par exemple, comme nous l'avons fait avec nos collaborateurs, on s'aperçoit qu'une partie substantielle des données provient, non de l'utilisation de la méthode théorique, mais de celle de facteurs non codifiés. C'est l'utilisation de ces éléments qui fait que le psychologue a de « l'expérience », du « flair », ou encore du « sens clinique ». C'est ce qui fait aussi qu'un débutant, même très instruit de la méthode du Rorschach, ne pourra en tirer les informations d'un praticien entraîné. Cela est normal, mais on retombe dans le cas général de l'entretien clinique habituel, que la méthode prétendait justement améliorer.

Ces remarques, qui peut-être paraîtront excessives, sont renforcées par une constatation étonnante : Rorschach, mort à l'âge de 38 ans, avait proposé son test ainsi que la méthode de dépouillement en 1921 ; or, il ne semble pas qu'il y ait eu, depuis, des modifications ou des améliorations fondamentales. Une telle réussite ne manque pas de poser quelques problèmes ! Cependant, cette déception épistémologique n'est peut-être pas définitive. Le dépassement et le remplacement du modèle traditionnel en termes de stimulus-réponse, par le modèle communicologique tel qu'il a été exposé précédemment, renouvelle en l'élargissant l'intérêt de l'examen psychologique.

Le test de Rorschach peut ainsi être considéré comme un test de génération de phrases et de connotation de messages visuels. Mais alors, les psychologues cliniciens sont amenés à utiliser, voire à inventer, des techniques nouvelles pour évaluer les structures discursives, le comportement mimogestuel, les variations de la voix, etc.

L'objectivation des caractéristiques énonciatives du sujet devrait, dans les années qui viennent, devenir un élément central de tout examen psychologique.

c) *L'élargissement de la demande psychologique sous la pression de facteurs sociaux.* Contrastant avec l'hypertrophie des techniques de communication de masse, la carence des possibilités de communication individuelle fait que, de plus en plus, on demande des personnes capables d'assurer, de maintenir, voire de rétablir de telles communications : c'est ainsi qu'on a vu apparaître des « conseillers conjugaux », des « conseillers psychologiques », des « assistants de psychothérapie »... Or, bien souvent, on attend du psychologue clinicien qu'il assume cette fonction nouvelle, et c'est en effet lui qui, par sa formation, paraît le plus qualifié pour cela.

Cependant, cette ouverture de la psychologie vers de nouveaux domaines fait apparaître deux problèmes qu'il est important de noter au passage, car ils conditionnent en partie le statut et le devenir de la psychologie clinique :

1. La rivalité, le plus souvent inconsciemment vécue (par les uns comme par les autres), entre psychiatres et psychologues. L'apparition de nouveaux besoins d'intervention psychologique, pour les uns, relève de la psychiatrie (et dans ce cas, les psychologues cliniciens ne sont que des psychiatres formés à bon marché et sous-rémunérés), pour les autres, nécessite une nouvelle catégorie professionnelle, celle, justement, des psychologues cliniciens. On touche ici à la question de la spécificité de la psychologie, et ce problème sera développé au chapitre traitant de la psychologie comme fonction.

2. La résistance significative de la société qui exprime son ambivalence vis-à-vis du psychologue en faisant, d'une part, appel à lui pour communiquer et reconnaître son désir, d'autre part, en exprimant sa peur par la fuite et la négation de la validité de son intervention. Les psychiatres et les psychanalystes ont déjà eu affaire aux mêmes résistances. Dans le cas des psychologues, la situation est un peu plus compliquée cependant, dans la mesure où leur domaine n'est pas confiné à la pathologie ; et dans cette mesure, aussi, grand est pour certains le danger de devenir des « adaptateurs » ou des « réparateurs », chargés implicitement de pallier les défauts des structures socio-économiques contemporaines pathogènes, et de tomber ainsi dans une complicité involontaire, qui ne peut qu'à son tour provoquer des résistances difficilement

contrôlables, puisque justifiées par des éléments de réalité. Quoi qu'il en soit, les psychologues sont actuellement de plus en plus utilisés, outre leur fonction classique dans les consultations, comme animateurs formateurs du personnel, et comme psychothérapeutes, en particulier dans les services d'enfants.

Cette situation mouvante, souvent conflictuelle et insatisfaisante (au moins sur le plan matériel), incite beaucoup de psychologues à entreprendre une formation psychanalytique. Nous aborderons à nouveau certains de ces problèmes ultérieurement. Mais pour conclure, il est honnête d'insister sur ce fait : la psychologie clinique est le type de la profession séduisante aux débouchés incertains... et ceux qui s'y aventurent doivent être prêts, soit à accepter d'être membre apprécié et utile, mais au statut modeste, d'une « équipe soignante », soit à poursuivre une formation personnelle qui nécessitera de leur part des investissements personnels, temporels et matériels, bien supérieurs à ceux de la plupart des professions habituelles... Cependant, ce serait une erreur de terminer sur une note pessimiste, car il n'y a aucun doute que ce secteur d'activité, que nous appelons aujourd'hui psychologie clinique, est riche en perspectives : perspectives scientifiques, perspectives sociales, perspectives professionnelles. Il faut souhaiter que des jeunes de valeur s'y destinent. Mais de valeur, soulignons-le, car ce n'est pas parce qu'il y a beaucoup à faire, qu'il y a à faire pour beaucoup, et qu'il est facile de le faire.

Le psychologue du travail

En mars 1968, la section de « Psychologie du travail » de la Société française de psychologie publiait une plaquette : *Des psychologues du travail pour quoi faire ?*, où se trouve valablement représentée la physionomie de cette profession.

Les grandes entreprises ont depuis longtemps leurs propres services psychologiques ou leurs propres psychologues ; les entreprises moins vastes peuvent faire appel à un cabinet ou traiter avec un psychosociologue indépendant.

Le psychologue industriel peut avoir trois sortes d'activités :

— la sélection et l'orientation du personnel ;

— la formation continue des hommes à divers niveaux pour une amélioration des capacités de direction et d'organisation, pour de meilleures communications dans l'entreprise, pour l'apprentissage de la vie en groupe, etc. ;

— l'amélioration des conditions de travail, ou fonction « ergonomique ».

Les méthodes utilisées vont donc faire appel à tous les aspects de la psychologie, et en un sens, c'est la psychologie du travail qui devrait demander la meilleure formation à ses praticiens. La sélection et l'orientation se feront grâce à des examens psychologiques plus ou moins complets selon les caractères du poste ou des postes à pourvoir ; mais le fait que 22 pages sur 40 soient consacrées à la méthode des tests dans la plaquette ci-dessus mentionnée laisse supposer que cette méthode a servi de base technique à beaucoup de praticiens.

Cependant aujourd'hui, particulièrement pour le recrutement des cadres, des techniques plus dynamiques et plus inspirées de la psychologie des communications sont utilisées, par exemple l'observation du sujet mis en situations d'interactions diverses : discussions de groupe, jeux de rôle, etc.

De son côté, la formation permanente du personnel, de plus en plus demandée par les entreprises, utilise largement les techniques de groupe et nécessite donc, de la part des praticiens, une solide formation personnelle.

Enfin, les aspects ergonomiques, d'une grande importance pour les travailleurs et les utilisateurs des produits fabriqués, font appel à des connaissances physiologiques et technologiques qui permettent de se demander si le psychologue ne devrait pas, dans cette spécialité, porter parfois le titre d'ingénieur ergonome.

Ajoutons qu'en 1968, la section de Psychologie du travail était une des deux sections les plus nombreuses de la S.F.P., que les salaires des psychologues industriels sont en moyenne plus élevés que ceux des autres praticiens.

Cependant, on ne peut clore ce paragraphe sans souligner la difficulté fréquente de leur position et les attaques dont ils ont été l'objet.

La principale critique était la suivante : les psychologues industriels sont explicitement au service du patronat, qui se décharge sur eux de certaines besognes qu'il n'ose assurer lui-même. Ils sont la couverture pseudo-scientifique de la répression capitaliste. « Dans tous les cas, le but est le même : aider les responsables de l'entreprise à résoudre certains problèmes humains grâce aux applications de la psychologie scientifique », écrivent-ils eux-mêmes (page 6 de la plaquette citée).

Qu'en penser? Il est certain que leur position en fait les psychologues les plus liés au système économique. Mais, par ailleurs, il est certain que beaucoup d'entre eux se considèrent comme n'importe quels cadres, eux-mêmes salariés, et qu'ils font cause commune avec le personnel; enfin, il serait injuste de les croire inconscients de ces problèmes, et sans doute est-ce cette préoccupation qui les a fait terminer leur plaquette par le rappel des « Principes généraux de déontologie ».

Il n'en reste pas moins qu'afin d'éviter de se placer dans des positions parfois inconfortables, la psychologie industrielle a particulièrement intérêt à développer ses aspects ergonomiques et formatifs, en cherchant à optimiser les conditions de travail, les communications internes et externes de l'entreprise, et les compétences tant techniques que relationnelles de chacun de ses membres. Programme généreux et bénéfique pour tous, mais probablement de réalisation bien délicate dans les périodes de crise...

Le psychologue scolaire et le conseiller d'orientation scolaire et professionnelle

La psychologie scolaire se définit à l'école par deux fonctions principales : une fonction d'ordre psychopédagogique et une fonction d'orientation.

La fonction psychopédagogique consiste en une contribution à l'œuvre d'enseignement, selon des modalités extrêmement diverses : il s'agit donc ici, non d'orientation au sens habituel du terme, mais de *formation*.

La fonction d'*orientation* consiste à conseiller l'élève et ses parents dans le choix d'une option, en tenant compte des qualités et aptitudes de l'élève, et des structures scolaires existantes. « Il s'agit, en somme, d'un diagnostic et d'un pronostic à plus ou moins longue échéance », écrit un des pionniers de la psychologie scolaire en France, René Zazzo.

Les *psychologues scolaires* sont attachés à l'établissement et recrutés parmi les enseignants. Malgré leur utilité évidente, leur nombre reste infime par rapport aux besoins. Le psychologue scolaire étudie, en accord avec le corps enseignant, les problèmes pédagogiques que pose l'enseignement (matières, méthodes, etc.) ; il s'emploie essentiellement à mettre en évidence et à favoriser les qualités positives de l'élève, plutôt qu'à déterminer ses insuffisances dans un but d'élimination ou de sélection. Le psychologue scolaire aide au dépistage des enfants débiles et inadaptés ; mais sa principale fonction, en coopération avec l'enseignant, est d'aider à l'adaptation de tous les écoliers à l'école et, dialectiquement, à une meilleure appropriation de l'école aux enfants.

On conçoit que, dans la période de crise que traverse l'enseignement public, le psychologue scolaire doit être particulièrement occupé... Or, en réalité, cette crise eût probablement été moins profonde si, justement, les psychologues avaient pu remplir leur rôle, que prévoyait, en 1947, le texte du projet Langevin-Wallon. Pour des raisons, semble-t-il, d'économie, ce projet n'a pas été appliqué. Mais cela n'a-t-il pas finalement coûté beaucoup plus cher à l'État[1]?

Les *conseillers d'orientation scolaire et professionnelle* ont un statut bien défini; ils sont attachés à des Centres d'information et d'orientation (C.I.O.), et non directement à des établissements scolaires.

Leur intervention se fait à plusieurs niveaux :

— orientation des élèves dans les classes de transition où ils aident les conseils de classe et d'orientation;

— examens individuels à la demande des enfants ou des parents qui demandent une consultation psychologique avec conseil d'orientation;

— information collective par des conférences, des discussions, et la diffusion de documents concernant les divers domaines de la vie professionnelle;

— action pédagogique pour préparer les jeunes et les faire participer à l'élaboration de leur projet professionnel.

Dans le *Cahier de l'U.N.I.C.E.F.* (n° 33, octobre 1983), on peut lire : « Situés à la charnière du système éducatif et du marché de l'emploi, les conseillers d'orientation aident leurs publics à prendre conscience à la fois de leurs propres possibilités, des réalités extérieures du monde du travail, et à élaborer ainsi un projet scolaire et professionnel. »

---

1. A moins que le développement de l'enseignement privé, palliatif du dépérissement de l'enseignement public, ne soit considéré comme la solution la plus « économique ».

Nous ne nous étendrons pas davantage sur ces professions qui, par leurs méthodes, se recoupent d'ailleurs bien souvent avec la « psychologie clinique », mais dont le domaine est plus la pédagogie que la pathologie, et l'action plus prophylactique que curative, donc, finalement, à notre avis, plus fondamentale, car « mieux vaut prévenir que guérir ». A cet égard, répétons-le, la politique d'économie qui entrave le développement de cette psychologie de l'enfant est une politique à courte vue et sûrement, au total, plus dispendieuse.

Un métier ou des métiers ?

D'aucuns trouveront ce qui vient d'être dit sur la psychologie comme métier, bien succinct, partiel, voire inexact... C'est vrai. Je n'ai là que désigné trois terrains où se rencontrent actuellement des praticiens qui se présentent comme psychologues. Étant donné ce qui a été dit auparavant de la psychologie comme science, on conçoit que la profession peut avoir un champ d'action beaucoup plus vaste, mais c'est alors s'occuper de la psychologie comme fonction, ce qui sera fait au chapitre suivant. En fait, à mon avis, la plus grande critique que l'on puisse adresser à ma présentation, c'est qu'elle risque de faire croire que la psychologie est *un* métier. Les problèmes de la psychologie du travail sont souvent beaucoup plus proches de ceux que traite l'ingénieur-conseil, que des préoccupations des autres « collègues »; il en est de même pour le psychologue scolaire par rapport à l'enseignant, et du clinicien par rapport au psychiatre ou au médecin.

A tel point que, plutôt qu'un « tronc commun » de départ avec des divergences terminales selon les spécialités, certains se demandent très sérieusement, en se basant sur l'expérience acquise depuis ces vingt dernières années, s'il ne vaudrait pas mieux, au contraire, faire intervenir la formation psychologique comme une spécialisation tardive de différents praticiens venant du monde du travail (ingénieurs, ouvriers, cadres), du monde de la santé (infirmiers-ières, assistantes sociales, rééducateurs du langage ou de la motricité, médecins...), du monde de l'éducation (éducateurs et rééducateurs, enseignants...). Nous reprendrons ce problème au chapitre suivant.

Mais il est un domaine où cela est encore plus apparent, et dont il n'a pas été question, celui de la *recherche*.

Il est évident, en effet, que seront en fait « chercheurs en psychologie » tous ceux qui travaillent sur un sujet ayant trait aux communications et à leurs problèmes. On trouvera donc ici des biologistes, des audiophonologistes, des pathologistes, des mathématiciens, des ingénieurs, des linguistes, etc., et rien ne permet de dire, en l'état actuel des choses, que la formation des psychologues les prédispose particulièrement à la recherche. Sauf, bien sûr, pour ceux qui, par des études adéquates (3e cycle[1]),

1. Après le 2e cycle (maîtrise de psychologie), le 3e cycle comprend un D.E.A. (Diplôme d'études approfondies) avec recrutement sur concours, et durée de 1 à 2 ans. Le D.E.A. peut être suivi d'une thèse de doctorat, d'une durée de 4 ans. Donc, au total, 9 à 10 ans d'études supérieures...

s'y destinent spécialement. Mais les attributions actuelles en postes de chercheurs sont si minimes qu'il est préférable à mon avis de ne pas faire croire au lecteur qu'il s'agit là d'une « profession » envisageable dès le départ pour celui qui entreprend des études de psychologie.

Cependant, sans être chercheur professionnel, le psychologue peut être amené à participer au programme de recherche de l'équipe dont il fait partie. Dans ce cas, son apport spécifique peut être de faciliter, au sein même de l'équipe, le travail de groupe; ses connaissances pluridisciplinaires (« charnière biologie-sociologie ») pourront en faire un partenaire particulièrement apte à intégrer les données et, éventuellement, à opérationnaliser le programme de recherche.

BIBLIOGRAPHIE SUCCINCTE

a) Quelques revues :

Avenirs : La Psychologie, carrières et études, n°s 331-332, 1982.

Revue de l'enseignement supérieur : La Psychologie, n° 2-3, 1966 (très complète avec des articles rédigés par des grands noms de la psychologie contemporaine).

Revue de psychologie appliquée : Unité et interdisciplinarité de la psychologie (sous la direction de C. Chiland), n° 2, 1981.

Cahiers de l'U.N.I.C.E.F., n° 33, octobre 1983, consacrés aux métiers de l'orientation.

b) Sur la psychologie clinique :

Psychologie clinique, in *Bulletin de psychologie*, n° 270, 15-19, 1968.

MARCHAND et al., *Le psychologue et la santé*, Privat, 1978.

c) Sur la psychologie du travail :

Des psychologues du travail pour quoi faire ? Texte présenté par la section psychologique du travail de la S.F.P., mars 1968.

Bulletin de psychologie, 33, 1979-1980, numéro spécial sur la psychologie du travail.

2.

LA PSYCHOLOGIE : UNE FONCTION

Il est d'usage, dans le grand public, de dire de quelqu'un qui sait « comprendre autrui » ou « comment s'y prendre avec lui », qu'il est psychologue; ce qui ne signifie pas, bien sûr, qu'il soit patenté comme tel, ni même qu'il ait acquis un savoir spécial dans ce domaine. Cela veut dire seulement qu'il est pourvu d'aptitudes « naturelles » pour l'exercice de cette fonction.

Ainsi la psychologie d'aujourd'hui, science des communications inter- et intra-individuelles, rejoint-elle la conception intuitive du public, ce qui, à notre avis, est plutôt bon signe.

Cette psychologie « sauvage », ou plutôt cette *fonction* psychologique ou communicologique, si banalement répandue mais si inégalement répartie, est-elle de qualité inférieure à la variété « cultivée » que l'on trouve pratiquée par ceux qui en font métier?

C'est là un problème fondamental, car il amène à formuler des questions dont l'importance, tant théorique que pratique, n'a guère besoin d'être soulignée. Par exemple :

— Qui fait et qui doit faire de la psychologie?

— Vaut-il mieux former des psychologues, ou développer au maximum la fonction psychologique chez tous ceux qui ont à l'utiliser ?

— Dans le cas où subsisteraient des spécialistes de cette fonction, comment les former et où les recruter ?

Répondre à ces questions en quelques lignes est hors de propos ; mais peut-être les considérations exposées dans les chapitres précédents vont-elles nous aider à mieux les poser.

Qui fait et qui doit faire de la psychologie ?

Si la psychologie en tant que science est l'étude des communications, sa pratique sera liée à l'acte de communiquer : recevoir, décoder, interpréter les signaux émis par autrui, percevoir et utiliser au mieux ses propres réactions pour poursuivre ou orienter cette communication.

Tout individu en situation d'interaction assure donc, peu ou prou, une certaine fonction psychologique : « On ne peut pas ne pas communiquer. » Cette fonction sera généralement réduite au minimum par les rituels et les codifications, prescriptions et proscriptions très formalisées, qui, comme nous l'avons vu, encadrent la plupart des activités quotidiennes ; mais certaines situations ou certaines professions nécessiteront une mise en jeu, parfois une mise en cause plus personnelle : il en est ainsi, non seulement des psychologues et des psychiatres, mais des médecins (et autres soignants), des éducateurs, des enseignants, des assistantes sociales, des ecclésiastiques, des avocats, etc. ; la liste, en fait, est largement ouverte. Elle comprend tous les métiers dont les effets sont produits par une interaction communicative, et dans lesquels le déroulement de cette dernière n'obéit pas à un script étroitement formalisé. Nombreux sont d'ailleurs les métiers qui revendiquent maintenant cette fonction psychologique, et dont les praticiens désirent recevoir une formation à « la relation », selon l'expression fréquemment utilisée.

La « dimension psychologique » de certains métiers apparaît donc, à l'heure actuelle, de plus en plus manifeste, et cela pour deux raisons principales dont les effets se cumulent.

a) La demande relationnelle de l'« usager » augmente : il se sent perdu dans une société aliénante, où la diffusion continuelle des informations sature en permanence la capacité de ses canaux. Ces informations concernent l'usager socialement, c'est-à-dire dans son aspect d'individu anonyme, mais non dans la différence qui fonde son identité. Deux mouvements contradictoires en résultent : l'attraction du groupe, la soumission au conformisme le plus absolu (fût-ce sous l'aspect de l'anticonformisme), mais, en même temps, la demande exigeante et avide d'être reconnu dans sa singularité, d'être émetteur de parole et non simple support de code. Une nouvelle maladie apparaît à l'état endémique : la carence en communications individuelles, accentuée par la surcharge en informations collectives. Elle se manifeste par bien des symptômes sociaux, entre autres un fait actuellement bien connu des médecins, à savoir que 40 à 60 % de leurs consultants quotidiens posent un problème psychologique ou relationnel plutôt qu'un problème somatique.

b) Parallèlement, l'évolution technologique limite la communication interindividuelle en la spécialisant. L'« honnête homme » de l'humanisme classique a disparu, l'universalité n'est plus considérée comme une caractéristique des meilleurs, mais comme celle des superficiels, des « touche-à-tout »; la spécialité, par contre, est présomption de compétence et de sérieux.

Ainsi les métiers ont tendance à se subdiviser, les fonctions à se répartir, et chacun est habilité à émettre et à recevoir les messages de façon sélective, en accord avec la compétence dont son statut proclame qu'il est détenteur. Sortir de sa compétence, accepter un autre type de message, devient dès lors improbable, informatif, connoté, et *doublement indésirable* pour le spécialiste, troublé par la perte énergétique que cela implique, et par la mise en cause de l'adéquation de sa propre réponse technique.

La fonction psychologique, conçue comme fonction communicative, devient dans ce système elle-même une technique, affaire de spécialiste.

C'est dans cette perspective que se développent les métiers de psychologues, de psychiatres, de psychosomaticiens, ou les fonctions de nombreux « conseillers » (tels les conseillers conjugaux), hôtesses, etc. Ainsi, tandis que la demande relationnelle augmente, la réponse s'institutionnalise et tend dès lors à quitter le domaine public.

A première vue, cette évolution peut sembler positive et

résulter logiquement du développement de la science et des techniques psychologiques : elle constitue une reconnaissance officielle de la valeur et de l'efficacité de la psychologie ; elle semble annoncer l'époque où tout un chacun sera assuré de trouver quelque part quelqu'un avec qui réparer les dysfonctionnements de ses communications ou pallier leurs carences.

Mais un examen moins superficiel fait rapidement soupçonner l'ambiguïté de ce progrès apparent.

La délégation de la fonction psychologique à des spécialistes ne fait que consacrer le renoncement des autres spécialistes à assumer cette fonction. Faut-il se réjouir, par exemple, qu'un praticien, se rendant compte que 50 % de sa clientèle présente un problème psychologique, fasse appel aux services d'un psychiatre ou d'un psychologue ? Ou doit-on souhaiter, au contraire, qu'il s'efforce de répondre *par lui-même* à cette demande qui lui est personnellement adressée, quitte à compléter pour cela sa formation et à œuvrer pour que celle de ses futurs confrères soit prévue dans le même sens, avec des conditions socio-économiques correspondantes ?

Un service hospitalier qui utilise les services d'un psychologue est, sans aucun doute, en progrès ; mais ne doit-on pas craindre que la présence du psychologue ne serve d'alibi pour que chacun continue sa pratique routinière en toute quiétude et bonne conscience ?

Plus gravement, ne peut-on supposer qu'une structure sociale déshumanisante et technocratique, prenant intuitivement conscience de sa carence communicologique, y répondra simplement en développant une nouvelle technique réparatrice destinée, non à modifier la structure, mais à la consolider à moindres frais? Certes, permettre aux différents praticiens (médecins, enseignants, éducateurs, etc.) d'assumer pleinement leur fonction nécessiterait la mise en place de programmes de formation qui pourraient paraître onéreux, mais ils se révéleraient rapidement hautement bénéfiques pour l'efficacité du travail.

Cette ambiguïté est ressentie de façon souvent critique par les jeunes psychologues, qui réagissent à leur malaise existentiel en accusant leur entourage d'être défenseur de structures rétrogrades, sans toujours s'apercevoir que leur existence même est le résultat d'une rétroaction négative, qu'une évolution plus profonde remettrait peut-être en cause plus radicalement.

La question peut se poser, en effet, en ces termes : faut-il développer la psychologie comme un métier, ou faut-il la développer comme une fonction inséparable de plusieurs pratiques professionnelles? Sans doute, diront certains, les deux options ne sont pas incompatibles. C'est vrai, mais alors, il est urgent de développer sérieusement la seconde : assurer une formation psychologique à tous les professionnels qui en ont besoin.

La formation du psychologue

Actuellement on devient psychologue en entrant à l'Université avec le baccalauréat, pour préparer un premier cycle de deux ans qui aboutit au Diplôme d'études universitaires générales (D.E.U.G.), puis un second cycle de deux ans, dont la première année aboutit à la licence, et la deuxième année à la maîtrise.

Muni de la maîtrise en psychologie, on peut se dire psychologue. Cependant, il est en fait nécessaire de préparer, en une année supplémentaire, un Diplôme d'études supérieures spécialisées (D.E.S.S.) qui authentifie une spécialisation (clinique ou pathologique, industrielle, scolaire, sociale, expérimentale...). Au total, on devient donc psychologue après une moyenne de cinq ans d'études supérieures.

Ce système a l'avantage de la simplicité, mais ses imperfections sont nombreuses, et les études de psychologie sont souvent considérées comme les plus confuses de l'Université française.

Énumérons quelques-unes des critiques les plus classiques :

1. Le trop grand nombre d'étudiants résignés à faire de la psychologie en raison d'échecs dans d'autres voies plus sélectives (médecine, orthophonie, kinésithérapie, etc.), ou par manque de vocation positive pour d'autres activités, ou encore attirés par la psychologie en raison de leurs problèmes personnels qu'ils espèrent ainsi pouvoir résoudre.

2. Les moyens très insuffisants en personnel et en matériel pour assurer un enseignement professionnel solide. En particulier, son ascendance littéraire a rendu jusqu'ici difficile la reconnaissance de la psychologie comme discipline scientifique à part entière, et les crédits qui lui sont attribués sont souvent inférieurs à ceux obtenus par des facultés scientifiques pour assurer des enseignements de même nature.

3. L'alignement conventionnel du cursus sur celui destiné à former des enseignants ; les divergences d'opinion, souvent aiguës, entre cliniciens et expérimentalistes ; le dédain du gouvernement pour cet enseignement fourre-tout qui absorbe, économiquement, le trop-plein des autres disciplines... et la difficulté à proposer de bonnes solutions, font que celui qui s'engage dans cette voie doit se persuader que, contrairement aux apparences, elle est extrêmement difficile : il lui faudra fournir un gros effort personnel pour assurer et gérer lui-même sa formation, souvent en faisant appel à des organismes extra-universitaires, et pour, en fin de compte, trouver malaisément une place sur un marché incertain et encombré.

Certes, ces remarques peuvent paraître pessimistes, mais il semble, dans la conjoncture actuelle, difficile de cacher la gravité de cette situation.

On peut cependant encore ajouter, à titre de repères, quelques éléments concernant la formation des conseillers d'orientation, des psychanalystes et des psychiatres.

• Les conseillers d'orientation sont formés par la filière baccalauréat + deux ans d'un premier cycle (D.E.U.G.) + deux ans de formation spécialisée dans un Institut, aboutissant à l'obtention d'un certificat d'aptitude aux fonctions de conseiller d'orientation. L'entrée à l'Institut est soumise à un concours très sélectif.

• Les psychologues scolaires (1er degré) sont tous des enseignants titulaires, qui font deux ans d'études supérieures spécialisées. Ils sont recrutés sur dossier.

• Les psychanalystes doivent posséder un niveau de culture supérieur (pas obligatoirement médical ou psychologique), et entreprendre une psychanalyse personnelle (ou « didactique ») avant d'être admis comme élèves d'un institut sur des critères psychologiques. Ils pratiquent alors des cures supervisées et participent à des séminaires d'enseignement. La durée de cette formation est impossible à chiffrer, mais compte tenu de la formation professionnelle antérieure, on ne peut guère « être psychanalyste » avant l'âge de trente ans.

• Les psychiatres, au terme de leurs études médicales, se spécialisent en psychiatrie pendant quatre ans. Durée variable, mais, au minimum, neuf ans après le baccalauréat.

Compte tenu de ces différents éléments, de la situation épistémologique de la psychologie, de son cadre professionnel actuel, certains n'hésitent pas à affirmer : la psychologie académique est moribonde, achevons-la pour abréger ses souffrances.

Cependant, une autre voie semble aujourd'hui se dessiner.

La psychologie étant essentiellement une fonction, seront donc psychologues des praticiens d'origines diverses, qui se sentiront vocation pour se spécialiser dans cette fonction, au service de leur métier : instituteurs se convertissant en psychologues scolaires, médecins devenant psychologues cliniciens, ingénieurs se spécialisant en ergonomie, infirmières, assistantes sociales et autres acquérant une spécialisation en psychologie clinique, psychothérapie, ergothérapie, conseil conjugal, etc.

Selon cette optique, être psychologue ne serait pas ainsi le résultat d'un sous-développement culturel, mais, au contraire, le fruit d'une spécialisation complémentaire greffée sur une pratique ou une formation professionnelle antérieure. A la rigueur, des étudiants pourraient accéder directement à la psychologie, non immédiatement après le baccalauréat, mais au niveau du second cycle, voire du troisième, étant déjà nantis d'un premier cycle non spécifique, c'est-à-dire aussi bien scientifique que médical, juridique et littéraire...

Ce qui pourrait finalement se résumer ainsi : « Pour développer valablement le métier de psychologue, développer d'abord la fonction, et considérer le métier comme une promotion au sein des autres métiers. »

BIBLIOGRAPHIE SUCCINCTE

Après **G. Politzer** déjà cité :

Richelle M. : *Pourquoi les psychologues*, Dessart, 1968.

Deleule D. : *La Psychologie, mythe scientifique*, Laffont, 1969.

Reuchlin M., Huteau M. : *Le Guide de l'étudiant en psychologie*, P.U.F., 3e édition, 1987.

CONCLUSIONS

Le lecteur a-t-il trouvé réponses aux questions qu'il se posait ? Ou, tout au moins, aux questions posées en introduction ? Possède-t-il maintenant des « clefs » ? Mais pour quelles serrures ? et donnant accès à quel édifice ?

Tout au plus semble-t-il que, dynamisé par les évolutions simultanées et convergentes de l'étho-anthropologie, de la linguistique, de la sociologie, de la psychanalyse et des sciences de la communication, le gros œuvre en soit déjà commencé.

La psychologie prendrait ainsi forme comme discipline scientifique centrée sur les communications interindividuelles de l'espèce humaine. Cette « nouvelle » orientation a l'avantage de permettre l'intégration des acquisitions antérieures et, qualité rare mais heureuse, de fournir des résultats directement utilisables par les praticiens, et de coïncider avec l'intuition du grand public.

Le métier de psychologue risque d'être profondément remanié, sa fonction plus claire, sa théorie plus précise et mieux située par rapport à sa pratique ; mais nous devons avouer que nous savons encore mal à quoi ressemblera l'œuvre achevée.

L'être humain apparaît aujourd'hui comme un système capable d'organiser la matière et de traiter l'information grâce à deux codes : *génétique* et *langagier*.

En ce sens, la psychologie ne désigne pas un « domaine » à mettre en parallèle avec la biologie ou avec la sociologie, mais plutôt une frontière. Elle porte son attention sur la rencontre de l'ordre biologique et de l'ordre langagier, et sur leur expression résultante, au niveau de l'individu.

Selon que l'on s'intéresse à l'étude des mécanismes généraux, des lois, des structures, des contraintes, ou à celle de leurs manifestations concrètes, au niveau de ce que Politzer appelait le « drame » humain, on s'occupera des compétences ou des performances.

Une dialectique permanente relie ces aspects, analogue aux relations qui doivent exister entre théorie et pratique. Cependant, il convient de se souvenir qu'il s'agit de deux niveaux différents qu'il est épistémologiquement peu souhaitable de confondre.

Le « à quoi ça sert ? » des praticiens vis-à-vis de la « science », qui fait pendant au « ce n'est pas scientifique » des chercheurs vis-à-vis de la pratique, est basé sur un malentendu (qu'il appartient à la science d'expliquer). Car il ne « sert à rien », pour comprendre le français parlé, de savoir sa grammaire, ni même l'orthographe, ni même de savoir lire ou écrire.

Et d'autre part, réciproquement, un grammairien n'est pas forcément un bon écrivain ou un talentueux orateur.

Cette distinction entre le code et son expression concrète apparaît particulièrement importante, car le psychologue est à la fois théoricien et agent de la communication. Toujours inclus dans la situation, il constitue par lui-même son instrument de travail le plus sérieux.

C'est finalement dans son cerveau que se feront les intégrations nécessaires pour l'élaboration de son métalangage. Pour cela, il utilisera « son savoir » (le code ou les codes de référence, la « compétence »), en tout cas, disons un certain nombre de modèles théoriques qui permettront l'organisation de son activité dénotative ou sémiologique rationnelle.

Mais il utilisera, en outre, ses réactions, plus obscures, connotatives, qui souvent lui fourniront la clef herméneutique indispensable pour découvrir, au-delà de la signification, le ou les sens de l'interaction en cours.

Volontairement et consciemment inclus dans la situation, il essaiera d'utiliser au maximum sa propre personnalité et ses propres réactions affectives, une oreille à l'écoute du sujet, et l'autre à l'écoute de lui-même, pourrait-on dire. Cette attitude, extéroceptive autant qu'intéroceptive [1], nécessitera une formation en profondeur, impossible à codifier, mais qui ne

---

1. Extéroception : réception des informations externes. Proprioception : réception des informations concernant la cinétique et la statique (d'origine musculaire, osseuse, articulaire...). Intéroception : réception des informations internes : viscérales, humorales. Ici, le terme est utilisé dans un sens extensif, puisqu'il vise plus particulièrement la perception et l'intégration de l'« affect ».

pourra guère s'acquérir que par des procédés dynamiques (psychothérapie, psychanalyse, groupes de formation). Remarquons que Freud avait déjà su découvrir ces concepts et les utiliser dans la pratique de la relation analytique.

Il nous est apparu ainsi que, si la psychologie s'est définie pendant toute une époque comme science du comportement, elle entre dans une ère nouvelle où elle devient science des communications intra- et inter-personnelles. Les communications n'étant accessibles que par l'étude des comportements et de leurs effets, l'héritage des recherches antérieures est facilement et utilement intégré, mais les comportements sont considérés comme supports de signification et d'action. Le psychologue devient alors un décrypteur, un donneur de sens, un capteur révélateur et décodeur de signes et de symboles, et la psychologie s'apparente à la fois à la « sémiologie » et à la « sémantique », mais une sémiologie et une sémantique de l'activité langagière plutôt que de la langue.

La psychologie de l'homme total s'occupe nécessairement de la communication totale, c'est-à-dire non seulement de la parole proprement dite, mais des éléments non verbaux qui l'accompagnent.

Le code linguistique, malgré son importance fondatrice, ne doit pas faire oublier son ancrage et sa filiation biologiques : il est fils du code génétique, même s'il lui arrive souvent de le nier. Le reflet intrapsychique des conflits intercodes est, comme l'avait perçu Freud, à la base des névroses humaines, et la scission fonctionnelle des codes ne peut aboutir qu'à une faillite homéostasique.

Le négativisme actuel de la jeunesse à l'égard des contraintes et des conformismes peut d'ailleurs être interprété comme une réaction du code génétique contre l'emprise mortifère du code linguistique devenu tout-puissant. Cette toute-puissance mythique est illustrée par le culte de l'ordinateur, conçu non comme auxiliaire, mais comme idéal de la pensée humaine. Grand métaboliseur d'informations, l'ordinateur est sans doute capable de dénotation, mais il est réfractaire aux connotations, à la poésie, au rêve et à l'amour ; c'est-à-dire à la fois parfaitement rationnel et totalement in-sensé.

Or, le travail du psychologue est justement centré sur le dévoilement du sens et sur l'étude de ses conditions optimales d'existence et d'épanouissement.

Évitant ainsi la perspective « adaptatrice » et technocratique dans laquelle certains l'accusent déjà de s'engager, la psychologie ne supprime pas les conflits, n'escamote pas les problèmes ; elle les *révèle* au grand jour, elle est dénonciatrice de vérités.

Souhaitons en tout cas qu'elle le devienne...

TABLE DES MATIÈRES

DEUXIÈME PARTIE

LA PRATIQUE PSYCHOLOGIQUE

Cet ouvrage a été composé
par Charente-Photogravure à Angoulême
et achevé d'imprimer le 25 octobre 1988
sur les presses de l'Imprimerie Guéniot
à Langres

Dépôt légal : novembre 1988
N° d'édition : 31334
N° d'impression : 1720

Imprimé en France